Ökonomien der Zukunft

Winston Ma

Die digitale Seidenstraße: Chinas neue Wachstumsstory

Aus dem Englischen von Thorsten Schmidt

NP &I

Inhalt

Chinas Innovationsökonomie

AlphaGo, das historische Match

Im Mai 2017 berichteten chinesische Medien ausführlich über eine historische Partie des *wéiqí*-Spiels. Es war ein Best-of-three-Match zwischen dem chinesischen Spieler Ke Jie, dem Weltranglistenersten und Weltmeister, und dem mit KI (Künstlicher Intelligenz) arbeitenden Go-Computerprogramm namens AlphaGo, das von dem DeepMind Lab des US-Internetgiganten Google entwickelt worden war. Das Match wurde zu einem der meistdiskutierten Medienereignisse des Jahres 2017, das in den Sozialen Medien Hunderte von Millionen Zuschauer anlockte.

Für viele war der Showdown in Wuzhen eine äußerst spannende und symbolträchtige Angelegenheit: Mensch gegen Maschine, Tradition gegen Moderne, Intuition gegen Algorithmus und Ost gegen West. Wer würde siegen?

China ist die Geburtsstätte des Go-Spiels *wéiqí*, einem alten Brettspiel auf einem Gitter mit 19 horizontalen und 19 vertikalen Linien. Go wird von zwei Spielern gespielt, die schwarze oder weiße Steine auf das Gitter setzen und jeweils versuchen, den größten Teil des Spielfeldes zu kontrollieren. Historische Aufzeichnungen zeigen, dass es bereits während der Zhou-Dynastie (1046–256 v. Chr.) gespielt wurde. Das Match wurde in der Gemeinde Wuzhen in der Provinz Zhejiang ausgetragen, die von einem über 1300 Jahre alten Kanal durchzogen wird, ein passender Austragungsort für dieses Spiel, das mehrere tausend Jahre alt ist.

AlphaGo hingegen war erst drei Jahre zuvor entwickelt worden. Go gilt als ein Spiel, das Computer nur sehr schwer meistern können, weil es mehr mögliche Brettkonfigurationen als Atome im bekannten Universum gibt. Außerdem waren menschliche Spieler fest davon überzeugt, es bedürfe eines hohen Maßes an »Intuition« und »strategischem« Denken, um dauerhaft erfolgreich zu sein. Daher sei ein Softwarealgorithmus anders als beim Schach schlichtweg außerstande, alle Kombinationen von Spielsteinen zu speichern, die Situation durch Berechnung aller möglichen Züge einzuschätzen und eine Erfolg versprechende Strategie auszuwählen.

Seitdem der von IBM entwickelte Schachcomputer Deep Blue im Jahr 1997 den Schachgroßmeister Garry Kasparow besiegte, ist das Go-Spiel zu einem Maßstab geworden, der es erlaubt, Fortschritte auf dem Gebiet der KI im Vergleich zur Leistungsfähigkeit des menschlichen Intellekts zu beurteilen. Viele Jahre lang kam man kaum voran. Dann aber gelang es dem von der Google-Tochter DeepMind entwickelten

AlphaGo-Programm, das Spiel auf eine neue Weise zu analysieren. AlphaGo setzt zwei Typen »tiefer neuronaler Netzwerke« ein, die Millionen von Verbindungen, ähnlich den Verschaltungen zwischen Neuronen im Gehirn, enthalten – das eine wählt den nächsten Zug aus, während das andere die Entscheidung bewertet.

Schlussendlich wurde ein weinender Ke Jie das, was von diesem historischen Match in Erinnerung bleiben wird. Nachdem er 0:3 gegen das KI-Programm AlphaGo verloren hatte, setzte Ke Jie, der beste Go-Spieler der Welt, seine Brille ab und wischte sich die Tränen aus den Augen. Sein Schluchzen erfüllte den Raum, in dem er gegen das Programm angetreten war und verloren hatte. Außerdem besiegte AlphaGo ein Team von fünf chinesischen Top-Profis in einem Demonstrationsspiel, in dem es ihnen erlaubt war, verschiedene Varianten von Zügen auf einem Brett auszuprobieren und sich miteinander zu beraten. Selbst die gebündelte Intelligenz mehrerer Menschen konnte die Maschine nicht schlagen.

Als wollte das Team des DeepMind Lab der Verunsicherung, den Ängsten und der Niedergeschlagenheit der menschlichen Spieler Rechnung tragen, kündigte es am Ende des Matchs an, AlphaGo werde nicht länger gegen menschliche Spieler antreten. Das Entwicklerteam würde sich fortan darauf konzentrieren, mit Hilfe der KI Lösungen für Probleme im Gesundheits- und Energiesektor sowie in anderen Bereichen (die Erwartungen sind hoch, mit der Künstlichen Intelligenz in diesen Bereichen ähnliche Durchbrüche zu realisieren, wie sie AlphaGo beim Go-Spiel erreichte) zu finden. Es gab keine Zweifel mehr an der überwältigenden Überlegenheit der KI zumindest beim Go-Spiel.

Zweifellos hat die historische Konfrontation zwischen Ke Jie und AlphaGo eine neue Runde der Reflexion und Diskussion über KI in China ausgelöst. Die überlegene Rechenleistung AlphaGos nahm den Chinesen ihre anfängliche Neugierde auf KI und verwirrte sie. Gleichsam über Nacht begannen chinesische Internetunternehmer, über »die zweite Hälfte« der Ära der Mobilökonomie zu diskutieren, die zwischen 2013 und 2016 einen Boom im Bereich E-Commerce und mobile Unterhaltung erlebt hatte. Seit 2017 lauten die neuen Schlüsselwörter »Daten« und »Intelligenz«, und die Entschlossenheit, den Rückstand zum Silicon Valley bezüglich des Einsatzes Künstlicher Intelligenz nicht nur zu schließen, sondern dieses zu überholen, ist im ganzen Land deutlich zu spüren.

Insbesondere das Bild des Weltranglistenersten, der über seine Niederlage gegen die KI zu Tränen gerührt ist, hat bei chinesischen Unternehmen dazu geführt, dass sie sich dem Thema KI mit großer Entschlossenheit und Dringlichkeit zugewandt haben: Entweder sie würden die rasch voranschreitende KI-Technologie, Big-Data-Analyse und Computer-Chip-Technologie übernehmen (Google hat für AlphaGo einen Spezialchip entwickelt, der für maschinelles Lernen maßgeschneidert ist) und weiterentwickeln – oder sie würden nicht überleben. Praktisch in allen Wirtschaftszweigen investieren chinesische Unternehmen hohe Summen in die Erforschung und Entwicklung neuer digitaler Technologien.

Die größten Internetunternehmen wie Alibaba (der E-Commerce-Riese, das chinesische Pendant zu Amazon), Tencent (am bekanntesten für seinen Social-Messaging-Dienst WeChat, mit rund einer Milliarde User) und Baidu (die führende Suchmaschine in China) investieren Milliarden von Dollar in den Aufbau neuer Forschungszentren, werben erfahrene KI-Experten und junge Datenwissenschaftler an und gründen sogar Labore im Silicon Valley, um an den neuesten Algorithmen, intelligenter Robotik und selbstfahrenden Autos zu arbeiten. Tencent entwickelte sogar ein eigenes Go-spielendes KI-Programm namens Jueyi bzw. Fine-Art im Englischen.

Wirklich außergewöhnlich ist das entschlossene Engagement der chinesischen Regierung, die mit einer Reihe politischer Maßnahmen und Initiativen ein beeindruckendes Zukunftskonzept für die Exzellenzförderung in den Bereichen KI und digitale Ökonomie präsentiert hat. Vielleicht war es eine zufällige Konstellation, aber kurz nach dem Go-Match in Wuzhen veröffentlichte die chinesische Zentralregierung im Juli 2017 einen »Plan zur Förderung der Entwicklung Künstlicher Intelligenz der nächsten Generation«.

Dieser Plan ist vermutlich weltweit die erste und mit Abstand ehrgeizigste Strategie, die darauf abzielt, die Potenziale der KI und der Vierten Industriellen Revolution auszuschöpfen. Der Plan fordert (a) innerhalb von drei Jahren (bis 2020) die Entwicklung eigener KI-Technologien, die denen westlicher Industriestaaten ebenbürtig sein sollen, (b) von chinesischen Wissenschaftlern »bedeutende Durchbrüche« in der KI-Theorie bis 2025 und (c) die unangefochtene weltweite Spitzenposition für die chinesische KI bis 2030. Bald darauf folgte eine Reihe detaillierter Umsetzungsleitlinien.

Es sollte betont werden, dass die Initiative der Regierung zur Förderung der digitalen Wirtschaft und der Vierten Industriellen Revolution viel früher begann. Nämlich im August

2013, als der chinesische Staatsrat einen Plan zur offiziellen Förderung des »Informationskonsums« verabschiedete. Zu Beginn bezog sich dieser Begriff überwiegend auf »Konsum auf der Basis von Informationstechnologien«; dabei lag der Schwerpunkt auf E-Commerce über Internetkanäle. Schon bald wurde das Konzept dann auf »hochwertige Informationsprodukte für den Konsum« wie Kinofilme und Online-Videos erweitert. In den letzten Jahren zielen neue politische Initiativen auf die digitale Wirtschaft als Ganzes (statt nur auf das Internet) ab und konzentrieren sich auf die jüngsten digitalen und datenzentrierten Technologien.

Die digitale Ökonomie Chinas wird somit in Zukunft das »gesamte Spektrum« von Technologien abdecken, also nicht nur das mobile Internet, sondern auch das Internet der Dinge (IoT), Big Data, Künstliche Intelligenz und vieles mehr. Der Markt erwartet, dass dies zu einer tiefergreifenden Transformation der Makroökonomie und der Wirtschaftssektoren führen wird als das »Internet+« früherer Jahre. »Wir sollten uns aktiv an den digitalen Fortschritt anpassen, neue Treiber des Wirtschaftswachstums fördern, Strukturreformen anpacken und die integrierte Entwicklung von Digital- und Realwirtschaft vorantreiben«, sagte Staatspräsident Xi Jinping auf dem G-20-Gipfel 2017.

Die zügige Digitalisierung Chinas soll das Land befähigen, in der globalen Wertschöpfungskette weiter nach oben zu klettern und sich von einer bedeutenden Industriemacht in einen globalen Innovationsführer im Bereich digitaler Technologien zu verwandeln. Chinas neue Wachstumsgeschichte kann im Übrigen für andere Schwellenländer als inspirierendes Exempel dienen.

Selbstverständlich hat die digitale Transformation der chinesischen Volkswirtschaft tiefgreifende Auswirkungen auf globale Interessengruppen, die geschäftlich mit dem chinesischen Markt verbunden sind. Solange der digitale Boom in China andauert, werden ausländische Investoren reich belohnt, und Konsumgüterhersteller sehen hervorragende geschäftliche Perspektiven aufgrund der wachsenden Mittelschicht in dem Schwellenland. Ausländische Nutzer kaufen nach und nach immer mehr Smartphones und mobile Apps, die in China entwickelt wurden, und Tech-Giganten aus dem Silicon Valley schenken der neuen Konkurrenz aus Asien immer mehr Beachtung.

Die größte Mobilökonomie der Welt

Welcher chinesische Feiertag wird von den meisten Menschen – Chinesen und Ausländern – gefeiert? Es ist nicht das Frühlingsfest, das auch chinesisches Neujahrsfest genannt wird. Es ist der 11. November, der Singles' Day (Tag für Unverheiratete).

An jedem 11. November beteiligen sich Hunderte von Millionen Chinesen im In- und Ausland an dem 24-stündigen Online-Shopping-Spektakel. Es ist ein globales Fest, da internationale Käufer und Verkäufer aus mehr als 200 Ländern und Regionen daran teilnehmen.

Im Jahr 2017 wurden in den ersten drei Minuten des Singles' Day Waren im Wert von 1,5 Milliarden Dollar (10 Milliarden RMB) im Internet bestellt. Das gesamte Handelsvolumen an diesem Tag betrug über 25 Milliarden Dollar. Der Festtag am 11. November ist der umsatzstärkste Online-Shopping-Tag weltweit; er übertrifft die Umsätze am Black Friday und Cyber Monday zusammengenommen.

Das jährliche Online-Shopping-Fest ist ein anschaulicher Beleg für den Aufstieg der digital vernetzten Mittelschicht in China. Laut den offiziellen Daten des China Internet Network Information Center (CNNIC) hatte China Ende 2017 772 Millionen Internetuser, womit es die weltweite Rangliste der Länder nach Internetnutzern mit großem Abstand anführt. Laut einer Schätzung der Unternehmensberatung McKinsey entfallen auf China über 40 Prozent des globalen Online-Handelsvolumens, mehr als die Anteile der USA, Großbritanniens, Deutschlands, Frankreichs und Japans zusammengenommen.

Blickt man jedoch über das bloße Handelsvolumen hinaus, zeigt sich, dass die mobile Ökonomie Chinas weitreichende Folgen für die Gesellschaft, die Wirtschaft und die Zukunft der Innovation hat:

Erstens: Die Dominanz des mobilen Bezahlens. Am Singles' Day 2017 betrug der gesamte mobile Außenumsatz (GMV, Gross Merchandise Value), der über Alipay (das mobile Bezahlsystem von Alibaba) abgerechnet wurde, annähernd 90 Prozent des gesamten Außenumsatzes. Viele Menschen in China, insbesondere in ländlichen Regionen, machen ihre erste Interneterfahrung als Verbraucher mit mobilen Geräten, nicht mit einem PC – in dem Moment nämlich, in dem sie erstmals ein Smartphone benutzen. Laut CNNIC-Daten waren Ende 2017 mehr als 750 Millionen Chinesen mobile Internetnutzer, was bemerkenswerten 97,5 Prozent der Gesamtzahl der Internetnutzer entspricht.

Mobiles Bezahlen ist in China sehr viel weiter verbreitet als in Industrieländern wie den USA oder Europa. 2017 wurden in China mehr als zehnmal so viele mobile Zahlungstransaktionen durchgeführt wie in den USA. Viele Chinesen, die nie in ihrem Leben Kreditkarten benutzt haben, nutzen heute das Internet, um ihre Überweisungen, Ersparnisse und Kapitalanlagen zu verwalten, ganz so, wie Menschen in vielen Regionen Chinas die Festnetztelefonie übersprangen und gleich ein Smartphone erwarben, um auf diese Weise erstmals Zugang zum Internet zu erhalten. Anders gesagt: Da es kein entwickeltes Kreditkartensystem gibt, ist das mobile Bezahlen die »erste« und »einzige« bargeldlose Zahlungserfahrung für viele Nutzer.

Die Popularität des mobilen Bezahlens zeigt sich am deutlichsten anhand seiner unterschiedlichen Nutzungshäufigkeit in den urbanisierten östlichen Küstenregionen einerseits und den weniger entwickelten westlichen Regionen in China selbst. Laut den von Alipay veröffentlichten Daten ist das mobile Bezahlen – zur Überraschung vieler – in den weniger entwickelten westlichen Regionen Chinas populärer. In keiner anderen chinesischen Provinz ist der Prozentsatz der Online-Transaktionen, die von Konsumenten mit mobilen Geräten bezahlt werden, so hoch wie in der autonomen Region Tibet. Der Grund dafür ist unmittelbar einsichtig: Die konventionelle Einzelhandelsinfrastruktur ist in diesen Regionen unzureichend, sodass die Menschen dort häufiger Produkte im Online-Versandhandel bestellen.

In praktisch allen Wirtschaftssektoren hat die Einführung mobiler Bezahlsysteme auf breiter Front zu neuen Geschäftsmodellen geführt. So kooperiert beispielsweise der

Einzelhandelsbezahldienst Alipay (sowie die WeChat-Bezahlplattform von Tencent, Alibabas Rivale) mit sämtlichen Formaten der gesamten Einzelhandelsbranche, unter anderem mit Kaufhäusern, Supermärkten und Mini-Märkten. Folglich fördert Alibaba das Modell des »Neuen Einzelhandels«, um Kunden eine nahtlose Integration von Online-/Offline-Einkaufserfahrung anzubieten (dieses Modell der Zusammenführung von Online- und Offline-(OMO-)Handel werden wir ausführlich im nächsten Kapitel diskutieren).

Die Infrastruktur für mobiles Bezahlen lässt auch neue Wirtschaftszweige entstehen. So haben beispielsweise das Internet und mobile Geräte die Lesegewohnheiten verändert. Online-Romane werden in China als Fortsetzungsromane seriell veröffentlicht, wobei in der Regel jeden Tag ein paar Tausend Wörter hinzukommen. Die Abonnenten können immer dann lesen, wenn sie ein paar freie Minuten haben – etwa in einer Schlange warten oder mit der U-Bahn fahren. In der Folge ist eine ganze neue Branche entstanden, da viele Online-Romane als Vorlage für Spiele, Videos und Filme dienen.

Der Singles' Day führt, *zweitens*, auch auf nahtlose Weise Online-Shopping und mobiles Entertainment zusammen. Da unter den Internetnutzern junge Netizens (eine Wortzusammensetzung aus dem Begriff »Internet Citizens«, also Internetuser, »Netzbürger«, die sich als »Bewohner« des Internets für eine Verbesserung des Internets aus sich heraus einsetzen) die dominante Gruppe sind, sind Entertainment und Fun die Leitthemen des mobilen Internets in China. In den letzten drei Jahren hat Alibaba jeweils in den Abendstunden vor Beginn des Singles' Day eine Galafeier mit dem Titel »Tmall's Double-11 Night Carnival« veranstaltet. Bei dieser Gala traten internationale Stars wie Pharrell Williams, Daniel Craig und Nicole Kidman auf.

Am Vorabend des Singles' Day hielt die Galashow die Zuschauer bis Mitternacht wach (bis dann die Verkäufe begannen). Während der Sendung wurden die Online-Zuschauer aufgefordert, regelmäßig ihr Smartphone zu checken, da durch ihre mobilen Shopping-Apps Rabattgutscheine verteilt wurden. Die Gala wird auch über Satellitenkanäle übertragen und über die größten chinesischen Videoportale wie Youku Tudou gestreamt, das schließlich im Jahr 2016 vollständig von Alibaba übernommen wurde, um E-Commerce und Unterhaltungsdienste zusammenzuführen. Die Videos enthielten einen Werbe-Cross-Link, über den Zuschauer Konsumgüter, die sie in den Fernsehshows sahen, bestellen konnten (»Kaufen während des Zuschauens«).

Dadurch, dass Alibaba das Shopping-Ereignis mit Entertainmentinhalten verknüpfte, schuf es eine kontinuierliche Rückkopplungsschleife des Online-Konsums von Waren und Unterhaltungsangeboten. Gemäß der gleichen Logik haben die Online-Marktplätze von Alibaba die Shopping-Erfahrung durch innovative Content-Formate neu definiert. Alibabas Online-Plattformen helfen Marken, durch kuratierte Posts, Kurzvideos und live übertragene Ereignisse, mit Konsumenten in Kontakt zu treten. Dieses robuste Content-Ökosystem hat die Anzahl der Nutzerkontakte, die Konversionsrate (Anzahl der Websitebesucher, die einen Kauf tätigen) und die jährliche Anzahl aktiver Konsumenten stark ansteigen lassen.

Außerdem hat der Boom beim Online-Handel zu einem tiefgreifenden Wandel der Offline-Ökonomie geführt, der die Urbanisierung beschleunigt und neue Beschäftigungsmöglichkeiten eröffnet. Mit dem Wachstum des Online-Handels sind Bauern zu Online-Verkäufern geworden, und viele Bauerndörfer wurden zu Zentren des E-Commerce, mit allem, was dazugehört: Lagerhallen, Logistikunternehmen, Werbeagenturen, Verpackungsfirmen und eine Vielzahl von Dienstleistern. Ein Unternehmer in einer ländlichen Region benötigt nur einen Raum von etwa 20 Quadratmetern, einen gebrauchten Computer und eine einfache Internetverbindung, um ein Einzelhandels-Start-up-Unternehmen aufzubauen.

Hinter den Kulissen befindet sich auch die große Zahl von Zustelldiensten für Online-Bestellungen. Die E-Commerce-Branche ist auf die Dienste unzähliger Paketkuriere angewiesen – sogenannter *kuaidi* oder Expresszusteller, die bestellte Waren schnell und billig ausliefern. Auf den geschäftigen Straßen kleiner und großer Städte sind zahlreiche Kuriere (insgesamt schätzungsweise über eine Million) mit Lkw, Motorrädern, Motorrollern, dreirädrigen Elektrofahrzeugen und allen anderen erdenklichen Beförderungsmitteln unterwegs, um Tag für Tag Millionen von Sendungen zuzustellen.

Schließlich ermöglichen neue Datentechnologien effizientere Logistiklösungen für den Singles' Day. Am Singles' Day ist das Logistikproblem die größte Herausforderung für die E-Commerce-Giganten – Lagerung, Distribution und Auslieferung zahlreicher Bestellungen in einem kurzen Zeitraum. Normalerweise sind die Online-Versandhändler gezwungen, zur Bewältigung der zusätzlichen Nachfrage Zeitarbeitskräfte aus dem ganzen Land einzustellen. Doch am

Singles' Day 2017 wurden mit Hilfe der KI innovative neue Lösungen bereitgestellt.

Alibabas Supply-Chain-Management, die Ali Smart Supply Chain (ASSC), setzt KI-Verfahren ein, um Online- und Offline-Händlern zu helfen, die Produktnachfrage vorherzusagen. Das Modell verarbeitet eine Reihe historischer und Echtzeitdaten einschließlich saisonaler und regionaler Schwankungen sowie Konsumentenpräferenzen und -verhaltensweisen. Das ist von entscheidender Bedeutung für die Planung von Zustellungen am selben oder am nächsten Tag, und außerdem versetzt es Händler in die Lage, umgehend auf sich verändernde Verbraucherpräferenzen zu reagieren; dabei stützen sie sich auf Trends, die sie Transaktionsdaten entnehmen und die Händlern erlauben, den Warenstrom effizienter zu steuern. Dies verringert Kosten und entgangene Umsätze aufgrund vergriffener Produkte.

Für die Zustellung an sich hat Cainiao, die Logistiktochter von Alibaba, mit Hilfe von KI-Verfahren und GIS (geografischen Informationssystemen) in komplexen Verkehrswegenetzen sowohl in ländlichen Gebieten als auch in städtischen Ballungszentren die schnellsten und kostengünstigsten Liefertouren ermittelt. Cainiao sagt mit KI-Verfahren auch vorher, welche Versandkartongröße benutzt werden sollte, um Bestellungen, die aus Produkten verschiedener Größen und Gewichte bestehen, effizient zu verpacken. Laut Aussage des Unternehmens wird dadurch der Einsatz von Verpackungsmaterialien um mehr als 10 Prozent verringert.

Insgesamt hat sich Chinas Infrastruktur der digitalen Ökonomie in den letzten Jahren bemerkenswert schnell entwickelt; sie war gekennzeichnet von der außergewöhnlich schnellen Durchdringung mit Internetzugängen, der raschen Aufnahme von Smartphones durch Nutzer, der Ausbreitung des mobilen Bezahlens und der Einführung neuer Apps. Für die zahlenmäßig größte digital vernetzte Mittelschicht der Welt, die chinesische, verschmelzen innovative Technologien Unterhaltung mit Shopping, quer durch alle Online- und Offline-Standorte. Intelligente Technologien sind nicht nur Teil der Nutzererfahrung, sie *sind* die Nutzererfahrung.

Digitale Transformation: 2C, 2B, 2A

Zweifellos markiert die weite Verbreitung des Internets und mobiler Geräte in den letzten Jahren einen bedeutenden Wendepunkt in der Geschichte des Internets in China. Beinahe über Nacht hat die größte digital vernetzte Mittelschicht der Welt, die schon heute die Größe der Bevölkerung der Vereinigten Staaten hat und sich binnen weniger Jahre verdoppeln dürfte, sowohl die Mobiltechnologie als auch die gesamte Palette von Bildschirmgeräten (Smartphones, Tablets, Laptops etc.) übernommen. Dies hat enorme Auswirkungen darauf, wie sich Verbraucher verhalten und was Unternehmen tun müssen, um im Wettbewerb erfolgreich zu bestehen. Mit der Ausbreitung von Smartphones (dank des Aufkommens inländischer Marken wie Xiaomi und Huawei) haben sich die chinesischen Internetnutzer rasch auf mobile Endgeräte umgestellt.

Was die Seite der Verbraucheranwendungen anlangt, so hat sich der chinesische Markt ganz anders entwickelt als die westliche Welt, denn er hat auf aggressivere Weise die mobile Technologie übernommen. Dagegen sind diese Aktivitäten auf anderen Märkten nicht im gleichen Umfang »mobil-basiert«. Ausgehend von Markt-Feedback können sie neue Angebote schnell erweitern, verfeinern oder beenden. Und so entsteht gerade eine neue Generation digitaler Technologieunternehmen, die die bestehenden Internetplattformen von Baidu, Alibaba und Tencent herausfordern.

Von BAT zu TMD

In den jüngsten Jahren wurde die Internetlandschaft Chinas vor allem von den drei großen »BAT«-Unternehmen, Baidu, Alibaba und Tecent, definiert, die jeweils die Online-Suche, den E-Commerce und soziale Netzwerk- und Nachrichtenübermittlungsdienste in China dominierten. Ausgehend von unterschiedlichen grundlegenden Stärken in den drei strategischen Bereichen des Mobilmarktes stoßen sie durch Expansion, Akquisition und strategische Kooperation mit verschiedenen Online- und Offline-Unternehmen aktiv in neue Geschäftsfelder vor. Auch ausländische Investoren, Verbraucher, Produktanwender, Start-ups und Industrieunternehmen auf der ganzen Welt spüren die Folgen ihrer geschäftlichen Expansion.

Während BAT bestrebt sind, ihre digitale Vormachtstellung zu behaupten, werden viele weitere chinesischen Firmen ebenfalls starke Akteure auf dem Mobilmarkt. Einige von ihnen haben mittlerweile eine beachtliche Größe erreicht, und sie stellen sich dem Wettbewerb mit einzigartigen Stärken auf unterschiedlichen Gebieten, wie etwa Xiaomi (Smartphone/Hardware), Huawei (Netzwerk/Smartphone), Lenovo (PC/Smartphone) sowie die nächste Generation von Internet-Start-ups nach BAT.

Wer sind die aufstrebenden neuen Giganten? Die Investoren konzentrieren sich auf drei schnell wachsende »Zehnhörner« am Markt (ein Start-up-Unternehmen in Privatbesitz, dessen Wert auf über eine Milliarde Dollar veranschlagt wird, wird als »Einhorn« bezeichnet, und ein Unternehmen, das auf über 10 Milliarden Dollar geschätzt wird, wird »Zehnhorn« genannt). Wenn man die Anfangsbuchstaben der von chinesischen Schriftzeichen transkribierten Pinyin-Wörter miteinander kombiniert, wie es der Markt tut, erhält man die Abkürzung TMD. Witzigerweise steht TMD auch für das geläufige chinesische Schimpfwort *Ta Ma De,* was wörtlich »deiner Mutters *****« heißt. Diese drei Unternehmen sind:

Toutiao

Jinri Toutiao auf Chinesisch, wörtlich: »die Schlagzeilen von heute« ist ein KI-basiertes Medienunternehmen. Toutiao war ursprünglich eine Nachrichten-Aggregator-App, die verschiedenen Kundengruppen maßgeschneiderte Inhalte bereitstellte. Mittlerweile hat es sich zu einer hoch KI-basierten Plattform für Medieninhalte entwickelt.

Meituan-Dianping

Dieses Unternehmen ging aus der Fusion zwischen Chinas führenden O2O (online-to-offline-)Plattformen für lokale Rabattdienste und für Kundenbewertungen hervor (die

Pendants zu den US-amerikanischen Diensten Groupon und Yelp). Es ist Chinas größte All-in-one-Plattform unter anderem für Essenslieferungen, Kinokarten, Restaurantbewertungen und Gruppenrabatte. Ausgehend von diesen Dienstleistungen steigt es auch in die Vermittlung von Fahrdiensten und ins Fahrradverleihgeschäft ein.

Didi

Wie sein Name (der für das »hup-hup« eines Taxis steht) schon nahelegt, ist Didi der größte Fahrdienstanbieter in China. Nach der Übernahme von Uber China – eine Transaktion im Wert von 35 Milliarden Dollar – hat Didi eine marktbeherrschende Stellung in China.

Wirklich interessant ist die Tatsache, dass sowohl Meituan-Dianping als auch Didi zwar ursprünglich weitgehend Vorbildern aus dem Silicon Valley nacheiferten, ihre Geschäftsmodelle aber eine starke chinesische Handschrift zeigen. Und Toutiao hatte mit einer rein chinesischen Ausrichtung und chinesischen Dienstleistungen Erfolg. Der chinesische Markt dürfte in Zukunft bei mobilen Geräten und Diensten eher ein Trendsetter als ein Trendfollower sein.

Gegenwärtig vollzieht sich in China ein Wandel: Aus einem verbraucherorientierten wird ein stärker unternehmensorientiertes Internet. Die Konsumenten nutzen schon seit Langem digitale Technologien, um ihre Lebensqualität zu verbessern, während Industriesektoren gerade erst beginnen, darüber nachzudenken, wie die neuen digitalen Werkzeuge – einschließlich des jüngsten, KI (Künstliche Intelligenz) – ihre Produktivität steigern können. In den letzten Jahren haben viele chinesische Unternehmen damit begonnen, große Summen in Internetinfrastrukturen zu investieren, um Online-Plattformen für ihre Geschäfte aufzubauen. Diese Maßnahmen haben Verbrauchern bereits bessere Kommunikation, niedrigere Preise und gesunkene Transaktionskosten beschert.

Allerdings bedeutet digitale Transformation mehr, als lediglich den Online-Absatz seiner Produkte über mobile Plattformen zu steigern. Im Grunde geht es darum, das Potenzial für zusätzliche Verbrauchernachfrage zu heben und neue Geschäftsmodelle zu entwickeln, bei denen traditionelle Industrien neue digitale Instrumente einsetzen, um Schlüsselaspekte ihres Geschäfts zu steuern. Mit anderen Worten: Bei der digitalen Transformation geht es mehr um »digitales Denken« als um »Interneterweiterung«.

So ist etwa die Innovationsgeschwindigkeit auf dem chinesischen Versicherungsmarkt bemerkenswert hoch. Die Versicherungsunternehmen haben in ihrer digitalen Evolution vier Phasen durchgemacht, die zu mehr direkten Kontakten mit Kunden und mehr maßgeschneiderten Produkten für sie führten. Außerdem revolutionieren neue intelligente Technologien gegenwärtig die Kerngeschäfte wie etwa die Schadensfeststellung bei Verkehrsunfällen.

Die erste Phase besteht darin, Online-Kanäle aufzubauen, um sowohl Kunden als auch Versicherungsvertreter zu erreichen und Backend-Prozesse wie Versicherungsabschluss und Bearbeitung von Schadensmeldungen zu automatisieren.

Die zweite Phase umfasst die Entwicklung digitaler Dienstleistungen, um Kunden bei damit zusammenhängenden Offline-Aktivitäten wie etwa der Vereinbarung eines Arzttermins über eine mobile App zu helfen. Durch die ersten beiden Schritte erhöhen Unternehmen die Zahl von Kundenkontakten und stärken ihre Beziehung zu Kunden.

Die dritte Phase besteht in der Zusammenführung von Online- und Offline-Daten der Kunden, um personalisierte Lösungen auf der Grundlage eines besseren Verständnisses der Kundenbedürfnisse anbieten zu können.

Die vierte und letzte Phase ist die spannendste; dabei geht es um den Einsatz intelligenter Technologien und Datenanalyseverfahren, die das Versicherungskerngeschäft revolutionieren. So hat zum Beispiel die Finanzdienstleistungstochter von Alibaba, Ant Financial, Ding Sun Bao (Werkzeug zur Schadensfeststellung) entwickelt, ein neues digitales Werkzeug, das große Versicherer wie China Taiping, China Continent Insurance, Sunshine Insurance Group und AXA Tianping bereits übernommen haben.

Ding Sun Bao kann Fotos von äußeren Fahrzeugschäden sammeln, sie mit Hilfe KI-basierter Deep-Learning-Bilderkennungstechnologien analysieren, den Unfallhergang rekonstruieren und den Schaden feststellen. Zum einen macht dieses Werkzeug die Schadensfeststellung objektiver und senkt das Risiko, dass an der Unfallstelle anwesende Schadensregulierer von den an einem Unfall beteiligten Fahrern beeinflusst werden könnten - daher ist die Schadensfeststellung präziser. Zum anderen kann Ding Sun Bao aufgrund von maschinellem Lernen Schadensregulierungsanträge sekundenschnell bearbeiten, viel schneller, als es menschliche Schadensachbearbeiter tun könnten.

Die Übernahme von Ding Sun Bao durch große Versicherer lässt uns einen Blick auf die »kundenorientierten Digital-first«-Unternehmen der Zukunft werfen. Alle Unternehmen haben es (insbesondere nach dem historischen AlphaGoMatch im Jahr 2017) sehr eilig, herauszufinden, wie sich neue digitale Technologien einschließlich des Internets der Dinge, Künstlicher Intelligenz (KI), Blockchain, Cloud Computing und Datenanalytik (iABCD) in ihre Geschäfte integrieren lassen, um zusätzliche Wertschöpfung zu generieren. Die Unternehmen werden »intelligenter« werden, wenn sie institutionelles menschliches Wissen mit maschinellem Lernen verschmelzen, und ihre Effizienzverbesserungen, ihre schnellere Entscheidungsfindung und ihre Kosteneinsparungen werden zu besseren Kundenerfahrungen führen.

Während die chinesischen Internetnutzer zwischen 2014 und 2015 offiziell ins Zeitalter des mobilen Internets und der Mehrschirmtechnologie eingetreten sind, steht China heute, 2017 und 2018, am Beginn einer von Unternehmen angeführten Transformation, die durch fortgeschrittenere digitale Technologien (iABCD) und schnellere 5G-Mobilfunknetze gekennzeichnet ist. Die nächste digitale Innovationswelle wird die chinesische Volkswirtschaft noch tiefgreifender verändern als das mobile Internet zuvor.

Im Rahmen der weltweiten Vierten Industriellen Revolution ereignet sich die entsprechende »schöpferische

Zerstörung« traditioneller Wirtschaftssektoren auf allen Märkten. Allerdings wird sie angesichts der bestehenden »mobilen Konsumenteninfrastruktur« und der Ineffizienzen in traditionellen, aber noch nicht vollentwickelten Sektoren (zum Beispiel Finanzindustrie, Gesundheitswesen, Einzelhandel und so weiter) wahrscheinlich schneller und in einem größeren Ausmaß in China stattfinden. Es ist bereits vorgekommen, dass nicht ausgereifte Branchen wie Einzelhandel und Logistik vom frühen Industriezeitalter direkt in die digitale Wirtschaft gesprungen sind, und Wachstum und Revolution betreffen nicht nur Konsumgütersektoren, sondern auch Dienstleistungen, Unterhaltung, Medien, Finanzwirtschaft und andere traditionelle Wirtschaftssektoren, wie in den folgenden Kapiteln zu sehen sein wird.

Datenökonomie: das 4C-Modell

KIK: Kennen Sie Ihre Kunden?

Was ist das größte Problem, mit dem Walmart, Procter & Gamble und Unilever in China konfrontiert sind?

Ganz einfach: *Sie kennen chinesische Konsumenten nicht mehr so gut wie früher.* Das hat einen einfachen Grund: Chinesische Konsumenten mit Internetzugang sind viel anspruchsvoller als noch vor einigen Jahren.

Während die ersten reformpolitischen Maßnahmen in den 80er und 90er Jahren in China eine große Arbeiterschicht hervorbrachten, schuf die nächste Welle globalisierten Wachstums im 21. Jahrhundert eine Mittelschicht, die schon heute so groß ist wie die gesamte US-Bevölkerung. Diese neue Gruppe von Verbrauchern ist nicht nur bestens mit dem mobilen E-Commerce vertraut, sie kennt sich auch hervorragend mit ausländischen Marken aus, wobei soziale Netzwerke einen enormen Einfluss auf ihre Kaufentscheidungen haben. Folglich haben sie hohe Erwartungen an die Qualität und an den Service.

Zudem wuchs diese Gruppe anders als ihre Eltern in einem China auf, das durch ungeahnten Wohlstand, Öffnung gegenüber dem Ausland und technologischen Fortschritt gekennzeichnet war. Folglich ist diese wichtige Verbrauchergruppe noch selbstbewusster und eigenständiger und entschlossen, dies durch Konsum maßgeschneiderter und personalisierter Produkte und Erfahrungen zur Schau zu stellen. Tatsächlich zeigen sich junge Chinesen in zunehmendem Maße offen für einheimische Marken, während bisher chinesische Verbraucher traditionellerweise bekannten internationalen Marken viel mehr vertrauten als inländischen.

Für Konzerne und etablierte Marken wird die Herausforderung noch größer dadurch, dass digitale Technologien in absehbarer Zukunft Verbrauchern noch mehr Informationskanäle anbieten dürften:

- Maschinelles Lernen und virtuelle Assistenten werden die Bereitstellung sofortiger Push-Benachrichtigungen und maßgeschneiderter Informationen ermöglichen.
- Wenn Technologien der Virtuellen Realität auf breiter Front eingeführt werden, stehen Verbrauchern dreidimensionale Informationen und Ansichten von Konsumgütern und Dienstleistungen zur Verfügung.
- Durch die Analyse großer Datenmengen gelangen Einzelhandelskanäle (nicht unbedingt die

> Markenhersteller oder Dienstleister) zu einem detaillierteren, tieferen und zutreffenderen Verständnis ihrer Zielgruppen und können deren Verhalten besser vorhersagen. Das Aufkommen des mobilen E-Commerce bedeutet daher, dass alle Großunternehmen ihre Strategie grundlegend überdenken müssen. Langweilige Massenprodukte von standardisierten Fließbändern verlieren ihre Anziehungskraft, und die junge »experimentierfreudige Generation« verlangt »personalisierte« Angebote von Unternehmen, von denen sie ein abwechslungsreicheres Einkaufserlebnis erwarten. Es gibt nicht länger die eine Einheitsdefinition des chinesischen Verbrauchers, und in den kommenden Jahren besteht der Schlüssel zum Erfolg in sämtlichen Branchen darin, Produkte und Dienstleistungen zu personalisieren, um den breitgefächerten Bedürfnissen und Wünschen von Millionen chinesischer Verbraucher gerecht zu werden.

Die Lösung besteht darin, den Kunden in den Mittelpunkt der Geschäftstätigkeit zu stellen. Hierzu müssen Unternehmen erhebliche Summen in die Big-Data-Technologie investieren, um ihre Kunden tiefgreifend und umfassend zu verstehen – nicht nur bezüglich ihres Einkaufsverhaltens, sondern auch hinsichtlich ihrer Ausgabengewohnheiten sowie ihres sozialen Netzwerkens und ihres Verhaltens allgemein. In den folgenden Abschnitten werden wir sehen, dass erfolgreiche Geschäftsmodelle im »neuen Einzelhandel«, bei »Internet+«-Filmen und individuellen Konsumentenkrediten vollständig datenzentriert sind und Konsumentendaten nahtlos anhand vier »C«-Dimensionen zusammenführen: Context (Kontext), Community (Gemeinschaft), Content (Inhalt) und Connection (Vernetzung).

OMO – Neuer Einzelhandel: E-Commerce wird sterben

Im Jahr 2015, als sich der chinesische E-Commerce weiterhin sehr dynamisch entwickelte, schockierte Alibaba-Gründer Jack Ma den Markt mit der Vorhersage: »Der E-Commerce wird sterben.« Selbstverständlich beherrscht Alibaba noch immer den E-Commerce-Markt mit zwei sehr leistungsfähigen Märkten: Taobao (C2C), ein Online-Basar, der ein breites Spektrum von Konsumgütern anbietet, und TMall (B2C), eine technisch ausgefeiltere Plattform für etablierte Marken. TMall ist allerdings mehr als eine reine Vertriebsplattform und verspricht einen hohen Nutzen für das, was Jack Ma »Neuen Einzelhandel« nennt: ein Instrument für Marken und Händler, neue Kunden zu erreichen und Stammkunden mit Marketingwerkzeugen und Erkenntnissen aus Konsumentendaten zu bedienen.

Der »Neuen Einzelhandel« soll Kunden vor allem eine nahtlose Verbindung von Online-/Offline-Einkaufserfahrung anbieten. In der heutigen hypervernetzten Welt verknüpft die Einkaufserfahrung Offline- und Online-Angebote. Die Online- und Offline-Aktivitäten von Konsumenten sind stärker integriert denn je, und die Grenze zwischen den beiden verwischt sich immer stärker. Mit Hilfe der Daten-

Analytik könnten Händler potenziell eine konsistente und nahtlose Einkaufserfahrung über verschiedene Kanäle hinweg erzeugen – physische Läden (offline), Unternehmenswebsites (online) und mobiler Handel (online und offline verknüpfend).

Mehr Daten sollen weiterhin offline gesammelt werden, da die meisten Menschen noch immer mehr Zeit offline als online verbringen, und die Daten von Offline-Einkäufen haben mehr Dimensionen und vermitteln tiefere Aufschlüsse.

Aus diesem Grund begann der »Neue Einzelhandel« zunächst damit, dass E-Commerce-Giganten physische Läden kauften. Schon im August 2015 investierte Alibaba 4,6 Milliarden Euro und wurde so zum zweitgrößten Anteilseigner der Suning Commerce Group, des größten Haushaltsgerätehändlers der Nation. Für Alibaba (und dessen Rivalen, JD.com, der 700 Millionen Dollar für einen zehnprozentigen Anteil an Yonghui Superstores, die viertgrößte Supermarktkette Chinas, zahlte) ging es darum, die bestehenden Netzwerke konventioneller Geschäfte der Offline-Retailer zu nutzen, um die Lieferkette zu stärken und seine Offline-Angebote zu diversifizieren (und anschließend mehr Daten zu sammeln).

Unterstützt durch sein mobiles Bezahlsysteme und seine digitale Technologie eröffnete Alibaba (und Tencent) auch bedienungsfreie Mini-Märkte, um mehr Offline-Geschäfte und Nutzerdaten zu generieren. Um diese Mini-Märkte zu betreten, müssen Kunden einen QR-Code scannen, der die Tür öffnet. Weil die diversen Produkte im Laden alle mit RFID-Chips versehen sind, liest der Scanner an der Ladenfront die RFID-Chips der Produkte, die Kunden eingekauft haben, wenn sie den Laden verlassen, und schickt die Rechnung an die mobile Bezahl-App des Kunden. Der ganze Prozess erfordert Computersehen, biometrisches Erkennen und Sensortechnologien, um Kunden und ihre Käufe zu erfassen, und endet schließlich in einem automatischen Bezahlvorgang an der Kasse.

Die jüngste und interessanteste Entwicklung sind »digitalisierte Läden«, das heißt, internetfähige Offline-Läden, die sowohl ein mobiles Online-Umfeld als auch ein traditionelles Einkaufserlebnis bieten – an ein und demselben Standort.

Hema XianSheng (Hema Frisch & Roh-)Läden von Alibaba sind das jüngste Lebensmitteleinzelhandelsformat. Hema-Läden, die die Merkmale eines Supermarkts, Restaurants und Direktverkauf-Frischmarktes miteinander verbinden, sind ein Beispiel für »digitalisierte Geschäfte«, die Online- und Offline-Aktivitäten miteinander verschmelzen. Im Mittelpunkt des Ausstellungsbereichs von Hema-Läden stehen frisches Gemüse, Obst und Meeresfrüchte. Da die junge Mittelschicht zunehmend Wert auf einen gesunden Lebensstil legt, sind frische Lebensmittel eine neue Art von »erschwinglichem Luxus«, der sie anspricht. Die Einkäufer können lebende Meeresfrüchte auswählen und sie zur sofortigen Zubereitung in die Küche schicken, um sie vor Ort zu verspeisen. Oder sie können ihre Lebensmittel über die App bestellen und sich nach Hause liefern lassen: Innerhalb eines Radius von drei Kilometern kann Hema in nur 30 Minuten liefern. Das Hema-Modell ist vollständig datenzentriert. Die Läden liefern Produktinformationen und sammeln auf vielfältige, interaktive Weise Verbraucherdaten:

Zuerst werden auf dem mobilen Endgerät Informationen über die Lebensmittel bereitgestellt. In den letzten Jahren wurde das Vertrauen der chinesischen Kunden in heimische Lebensmittel durch eine Reihe von Lebensmittelskandalen erschüttert. Mit einer nutzerfreundlichen App können gesundheitsbewusste Verbraucher den Barcode auf sämtlichen Hema-Produkten scannen, um die Herkunft des Produkts, Liefer- und Nährwertinformationen abzurufen.

Zudem ergänzen Offline-Kontakte Online-Informationen. Anders als Kleidung und Schuhe sind frische Lebensmittel – zum Beispiel Meeresfrüchte – kein standardisiertes Produkt. Es ist für Verbraucher schwer, die Qualität von Produkten allein aufgrund der online bereitgestellten Informationen abzuschätzen. Physische Läden ermöglichen ihnen, Mitarbeiter anzusprechen, um die Produkte besser kennenzulernen. Insbesondere Einkäufer mittleren Alters haben größeres Vertrauen in die traditionellen Läden, wo sie Meeresfrüchte direkt unter die Lupe nehmen und austesten können. Es ist ihnen lieber, wenn sie eingeführte Lebensmittel zunächst in den Läden kaufen können, bevor sie in Zukunft dieselben Produkte online bestellen.

Außerdem können Käufer Produkte in kleinen Mengen »ausprobieren«. Ehe Käufer eine Kaufverpflichtung eingehen, können sie probieren und das Produkt erstehen, wenn es ihren Vorstellungen entspricht. Wie bei modischer Kleidung können Kunden die Ladengeschäfte in den Einkaufszentren als »Vorführungssaal« oder »Umkleide« benutzen.

Alipay ist die einzige akzeptierte Bezahlmethode an der Kasse. Das mobile Bezahlterminal erfasst Verbraucherdaten sowohl für Online- als auch für Offline-Transaktionen. Die oben aufgeführten Konsumenten werden vollständig digital erfasst. Ihre historischen Daten befähigen die Hema-App, hochpersonalisierte Empfehlungen und gezielte Werbung zu generieren, was die Einkaufserfahrung der Verbraucher verbessert, wenn sie das nächste Mal online oder offline einkaufen.

Schließlich werden sämtliche Geschäftsprozesse in Hema-Läden im Hintergrund digitalisiert. Dazu gehört der Einsatz von In-Store-Technologien, digitalisierten Lagerhaltungs- und Lieferkettensystemen (Einkauf, Verkauf und Zustellung), Verbraucherdaten sowie mobile Zahlungen. Wie zu Beginn dieses Kapitels über den Trend zu Big Data vorhergesagt, verursachen Hema-Läden immense Vorlaufkosten für Investitionen in Datentechnologien. Vielversprechend sind die zu erwartenden Skaleneffekte der Hema-Läden, außerdem bringt die Partnerschaft mit TMall Kosteneinsparungen beim Einkauf (Direkteinkauf und Verhandlungsmacht von TMall).

Wie das Beispiel Hema zeigt, nutzen »digitale Läden« von Internetfirmen sowohl Online- als auch Offline-Kontaktpunkte, um den gesamten Entscheidungs- und Kaufvorgang der Verbraucher abzudecken; dazu gehören auch die Online-Suche und Online-Vergleich, das Ausprobieren von Produkten in Offline-Läden, Online- oder Offline-Bezahlen, das Online-Arrangieren der Zustellung beziehungsweise das Abholen des Produkts in einem physischen Laden. Die Ladenfronten von Mini-Märkten – wie etwa Hema-Geschäften – locken wie traditionelle Einzelhandelsläden Publikum an, aber sie haben auch eine Online-Persona, da sie mit Hilfe des Internets Marketing, Logistik, Kundendienst und Kundenbindung steuern. In der Folge verschwindet der Unterschied zwischen Online- und Offline-Handel.

Daher ist »New Retail« im Grunde nichts anderes als die Verschmelzung von Online- und Offline-Einkauf. So wichtig es für konventionelle Einzelhändler ist, eine Online-Präsenz zu unterhalten, so wichtig ist es für Online-Händler, sich mit physischen Läden zusammenzutun.

Die Zukunft des E-Commerce - sofern der Begriff »E-Commerce« noch zutreffend ist - ist eine Plattform, die Kunden nahtlos über mehrere Bildschirme mobiler Endgeräte miteinander verbindet, standardisierte Produkte ebenso anbietet wie auf individuelle Bedürfnisse zugeschnittene Güter und Erfahrungsangebote und die Online-Content mit Offline-Aktivitäten verknüpft.

»Internet+«-Filme auf Bullet Screens

Die Einspielergebnisse von Kinofilmen sind in China in den letzten Jahren rasch angestiegen. Wenn die Zahl der chinesischen Kinogänger weiterhin so wächst wie bisher, wird China in einigen Jahren die USA als größter Kinomarkt der Welt ablösen. Dieser Trend mag zu einer Zeit, wo der Konsum von Online-Unterhaltungsangeboten explosiv wächst, erstaunlich anmuten.

Tatsächlich ist er ein Beleg für die Macht des Internets und der Datentechnologien, die Chinas Kinomarkt eine neue Dynamik verliehen haben. Wie die anderen OMO-(On-line-Merge-Offline-)Beispiele wie etwa »New Retail« macht auch die Filmindustrie mit intelligenten Geräten, der Analyse riesiger Kundendatenmengen, mobilen Apps zum

Ticketbuchen und Online-Streaming-Angeboten Netizens in zunehmendem Maße zu Kinogängern in Offline-Kinos. Bei neuen Filmen in China werden die Ideenfindung, die Filmproduktion und die Marketingkampagne mehr und mehr von Big Data definiert, über die Sozialen Medien feingeschliffen und über mobiles Internet vertrieben.

Erstens: Die richtige Story finden. Jeden Tag aktualisieren Millionen junger User, die Texte in digitalem Format lesen, ihre mobilen Apps, nur um sich über die Updates ihrer Lieblingslektüre auf dem Laufenden zu halten. Jede Fortsetzungsfolge umfasst in der Regel nur ein paar Tausend Wörter, sodass man jede freie Minute zwischen seinen täglichen Erledigungen, etwa beim Anstehen in einer Schlange im Supermarkt oder beim Warten auf ein öffentliches Verkehrsmittel, zur Lektüre nutzen kann. Auf der Basis ihrer Beliebtheit bei Lesern wurden viele Online-Romane in traditioneller Weise verlegt oder als Vorlage für Spiele, Videos und Blockbuster-Filme verwendet. Die Popularitätsbeurteilungen belletristischer Online-Werke liefern Filmemachern wichtige Informationen über die sich unentwegt verändernden Präferenzen potenzieller Kinogänger für Plots und Genres; daher suchen immer mehr Regisseure im Internet aktiv nach potenziellen Hits.

Zweitens: Das richtige Produktionsteam zusammenstellen. Auf einer allgemeinen Plattform wie WeChat oder einer speziellen Filmbewertungswebsite wie Douban nehmen Filmliebhaber Stellung zu den neuesten Filmen und geben Empfehlungen. So diente ein populärer Online-Roman etwa als Vorlage für eine Episode der sehr erfolgreichen Filmserie *Tiny Times*. Soziale Netzwerke helfen auch bei der Auswahl des Produktionsteams. Die Produktionsgesellschaft nutzt Weibo (das chinesische Twitter) auch, um die über 100 Millionen Weibo-Follower nach ihren Wünschen bezüglich des Regisseurs und der Schauspieler zu fragen.

Drittens: Kontinuierliches Feedback während der Produktion. Auch nachdem eine Filmproduktion beschlossen wurde, können Regisseure weiterhin soziale Netzwerke nutzen, um zu Fans Kontakt zu halten, weil deren Feedback nicht nur hilft, den Online-Roman als Vorlage für den Kinofilm auszufeilen, sondern schon vor der Herstellung der Filme für kostenloses Marketing sorgt.

Viertens: Mit Hilfe »digitaler Finanzierungen« mehr über die Präferenzen von Kinogängern herausfinden. Crowdfunding von Filmen hat die Aufmerksamkeit vieler junger Zuschauer geweckt, und es wird schnell zu einem wichtigen Finanzierungskanal für Filmproduktionsgesellschaften. Im digitalen Zeitalter werden Crowdfunding-Kampagnen als eine Gelegenheit für Zuschauer, sich am Glamour der Filmproduktion zu beteiligen, vermarktet, weil jeder, der Filme liebt oder Stars bewundert, zu einem Kleininvestor werden und sich an der Filmproduktion und -förderung beteiligen könnte. Internetfirmen wie Baidu und Alibaba machen Nutzer nicht nur mit Internetfinanzierungen vertraut, sondern sammeln auch Daten über die Präferenzen von Kinogängern. Um Informationen über die Präferenzen von Zuschauern zu sammeln, wurden zum Beispiel einzelne Investoren gebeten, aus der Liste der Filmprojekte maximal zwei Investitionspläne auszuwählen.

Fünftens: Digitale Technologien zur Vermarktung nutzen. In der mobilen Ära werden das Internet und intelligente

Geräte zu den wichtigsten Vermittlern zwischen dem Filmmarkt und chinesischen Zuschauern. Digitales Marketing als solches gewinnt in Chinas immer härter umkämpftem Filmmarkt zunehmend an Bedeutung. Bei Filmen, die ein junges Publikum ansprechen sollen, geben Produktionsgesellschaften weniger für Plakatwerbung im ganzen Land aus und konzentrieren die Vermarktung des Films auf soziale Netzwerke.

Sechstens: Auch nach dem Filmdebüt Meinungsäußerungen der Zuschauer verfolgen. Eine wichtige Aktivität junger Netizens nach dem Betrachten eines Kinofilms besteht darin, diesen in sozialen Netzwerken zu diskutieren und zu kommentieren. Folglich beeinflussen Fans auch nach einem Filmdebüt durch ihre Filmrezensionen und -kommentare in den sozialen Netzwerken weiterhin dessen Schicksal.

Um jungen Zuschauern mehr Möglichkeiten zu geben, ihre Meinungen zu äußern, haben ausgewählte Kinos in China mit dem »Bullet Screen« experimentiert - ein umstrittenes Modell, das Zuschauer in die Lage versetzt, über SMS, die an die Leinwand projiziert werden, den Film zu kommentieren, während dieser läuft. Wahrscheinlich wird der Bullet Screen aufgrund des starken Wunschs der jungen Zuschauer, ihre Meinung auszudrücken, eine dauerhafte Einrichtung sein. Während der Film über die Kinoleinwand läuft, ist der Bullet Screen für sie eine parallele Leinwand, auf der sie ihre Kommentare zu den Filmen äußern können; für die Produktionsgesellschaft ist der Bullet Screen eine weitere Möglichkeit, mehr über das Kinopublikum in Erfahrung zu bringen.

Dieser Big-Data-Trend in der chinesischen Filmindustrie erklärt, warum die Blockbuster-Filme aus Hollywood in China nicht unbedingt Kassenschlager waren, obwohl der chinesische Filmmarkt in den letzten Jahren ein enormes Wachstum verzeichnete. Tatsächlich ist das chinesische Kinopublikum in zunehmendem Maße offen für inländische Produktionen, die lange Zeit aufgrund der Dominanz von Blockbuster-Importen aus Hollywood nur einen kleinen Marktanteil hatten.

Die meisten jungen Zuschauer mögen Geschichten von Autoren ihres Alters, und sie bewundern modische, populäre und erfolgreiche Helden, die zudem »Eigengewächse« sind (siehe auch das folgende Kapitel »Fan-Ökonomie«). Auf der Basis der großen Datenmengen, die sie über das Konsumentenverhalten gesammelt haben, haben alle E-Commerce-Giganten ihre eigene Filmproduktionssparte gegründet, um selbst Filme zu produzieren, insbesondere solche, die sich direkt auf Geschichten der jungen Generation (Themen, die die junge Generation umtreiben) beziehen. Vielleicht muss sich Hollywood mit diesen Big-Data-Akteuren zusammentun, um neue Filme zu produzieren, die den sich wandelnden Präferenzen chinesischer Kinogänger gerecht werden.

Die Fan-Ökonomie

Diaosi-Ökonomie, Fan-Ökonomie

Bei der Fußballweltmeisterschaft 2018 ist die chinesische Nationalmannschaft erneut bereits in der Qualifikation gescheitert. Dennoch trug das mobile Internet dazu bei, dass das Ereignis für Hunderte von Millionen Fans sowie erstmalige Zuschauer zu einem Sportfest wurde. Bei den letzten Weltmeisterschaften haben chinesische Fußballfans das Turnier lediglich zu ungewohnter Stunde (aufgrund des Zeitunterschieds) im Fernsehen verfolgt, während sie mit Freunden Bier tranken; bei der Weltmeisterschaft 2018 in Russland verfolgten viele Chinesen die Spiele mit großem Interesse bei Tag und Nacht. Sie sahen sich nicht nur Übertragungen im Fernsehen oder Online-Videos an, sondern sie interagierten auch aktiv mit ihren sozialen Netzwerken über die Partien und spielten ihre eigenen virtuellen Spiele – mit ihren Lieblingsspielern aus der ganzen Welt.

Das Neue im Jahr 2018 ist die Tatsache, dass viele Mädchen – die zuvor nicht unbedingt Fußballfans waren – sich ebenfalls begeistert mit eigenen kreativen Videos an diesem Sportfest beteiligten. Mit einer Video-App namens Douyin (bzw. Tik Tok außerhalb Chinas), die über eine leistungsstarke Editierfunktion verfügt, konnten Nutzer 15-Sekunden-Videos mit großartigen Audio- und Spezialeffekten im Hintergrund produzieren und teilen.

Außerdem expandierte der mobile Entertainment-Boom in China auch international. Während der Weltmeisterschaft in Russland 2018 unterzeichnete Mesut Özil, Mittelfeldstar in der deutschen Nationalmannschaft, einen Vertrag mit Douyin (Tik Tok); sein Kurzvideo wurde innerhalb weniger Tage drei Millionen Mal geliket. (Zwischen Januar und März 2018 wurde Douyin weltweit 45,8 Millionen Mal heruntergeladen, was sie im Apple Store zur App Nr. 1 machte, weit vor etablierten US-Apps wie Instagram und Facebook.)

Zweifellos werden die Konsumentenausgaben für Unterhaltung in China weiterhin steigen, weil die wachsende Mittelschicht des Landes über grundlegende materielle Bedürfnisse hinaus immer mehr Nicht-Basiskonsumgüter nachfragen wird. Ein gutes Beispiel für die Ausbreitung von »Internet+« in Nicht-Tech-Märkte ist die digitale Transformation der »Fan-Ökonomie« in der Medien- und Unterhaltungsbranche. Tatsächlich sind Entertainment und Spiele die DNA des mobilen Internets in China, und dies hat viel mit der dominanten Stellung junger Netizens (unter 39 Jahren) unter den Internetnutzern zu tun. Laut den CNNIC-Daten von Ende 2015 sind ungefähr drei Viertel (73 Prozent) der Internetuser zwischen 10 und 39 Jahre alt.

Noch interessanter ist die Tatsache, dass das größte Wachstumspotenzial der Fan-Ökonomie in kleineren Städte liegt, deren Einwohner vielleicht keinen PC besitzen, aber heute auf intelligenten Geräten Online-Entertainmentinhalte ausprobieren. Vor der landesweiten Einführung einer Breitband-Infrastruktur und dem verbreiteten Gebrauch von Smartphones waren viele Internetdienste in ländlichen Gebieten und Kleinstädten nicht erhältlich. Heute erleben diese einen Trend zu einem höherwertigen Konsum, bei dem Online-Entertainment und kulturelle Inhalte immer stärker nachgefragt werden. Dieses Phänomen ist offenkundig in der Filmindustrie, und es zeigt sich auch bei den weiteren Beispielen aus der Fan-Ökonomie.

Heute stehen dank der digitalen Technologien tatsächlich die Fans zum ersten Mal im Zentrum der Fan-Ökonomie. Während sich viele Fans selbst »Diaosi« nennen (der Ausdruck, der auf die männlichen Genitalien anspielt, ist in der Internetära ein Synonym für »Verlierer« geworden), wollen sie trotzdem an der Produktion viraler Unterhaltungsinhalte mitwirken.

Kinofans beteiligen sich heute über soziale Netzwerke aktiv an dem gesamten Zyklus von Filmproduktionen. Im Internetzeitalter werden sie von Studios, die sich unentwegt um Feedback von Fans bemühen, ehe neue Filme zum ersten Mal gezeigt werden, als kreative Mitgestalter behandelt. Mit der aktiven Teilnahme von Fans hat die digitale Wirtschaft Filmproduktionen von einem eindimensionalen, linearen Prozess in einen nicht linearen, iterativen Prozess verwandelt.

Außerdem spielen Fans bei Unterhaltungsprodukten mit »niedrigen Eintrittskosten« wie Online-Romanen und Kurzvideos bei der Content-Entwicklung eine noch aktivere, direktere Rolle. Eine Online-Celebrity zu werden, ist für viele Nutzer ein Antrieb, selbst einzigartige Inhalte mit viralem Potenzial zu erschaffen, und dank der neuen digitalen Technologien können sie dies viel leichter erreichen als zuvor. Infolgedessen verschwimmt die Grenze zwischen Fans und Berühmtheiten immer mehr.

Daher findet ein Wandel bei den neuen Social-Media-Plattformen statt: weg von einer »Elite«-zentrierten Gemeinschaft hin zu »einfachen« Bürgergruppen aus kleineren Städten, jüngeren Alters, niedrigerer sozialer Stellung und weniger glamourösem Erscheinungsbild. Um sie erfolgreich anzusprechen, stellen chinesische Medien den Diaosi-Fans nicht nur Plattformen bereit, auf denen sie Inhalte finden und konsumieren können, sondern sie geben ihnen auch digitale Werkzeuge an die Hand, um selbst Beiträge zu erstellen.

Wirklich revolutionär ist die Tatsache, dass aufgrund fortgeschrittener Technologien, die sich auch gewöhnliche Nutzer leicht verschaffen können, die Grenze zwischen UGC (nutzergenerierten Inhalten) und PGC (professionell generierten Inhalten) ebenfalls verschwindet. Traditionell waren UGC oftmals gleichbedeutend mit qualitativ geringwertigen Inhalten. In Zukunft wird der Markt jedoch mehr PUGC – professionelle nutzergenerierte Inhalte (ein vom Autor dieses Beitrags geprägtes Kunstwort) – in nutzernahen Ökosystemen für Medieninhalte sehen.

Weil PUGC die Merkmale von UGC und PGC miteinander verbinden, werden sie in Zukunft noch mehr Fans anlocken, die sowohl Konsumenten von Unterhaltung als auch Schöpfer von Inhalten sein werden (genauer gesagt, Mitgestalter von Inhalten über intelligente Apps). Dieses Kapitel zeigt, wie die drei Kräfte - neues Content-Ökosystem, mobiles Bezahlen und E-Commerce - gemeinsam die Fan-Ökonomie in China angefacht haben.

Die Götter von Internetromanen

Online-Romane sind in China äußerst populär, auch deshalb, weil sie eine kostengünstige Form der Online-Unterhaltung sind. CNNIC-Daten zeigten, dass schon im Jahr 2014 die meisten chinesischen Leser auf mobile Geräte umgestellt hatten - annähernd 85 Prozent aller Leser lasen literarische Werke auf mobilen Smartphones. Laut CNNIC-Daten gab es Ende 2017 378 Millionen Online-Literaturleser, was fast der Hälfte (48,9 Prozent) aller Internetnutzer entspricht.

Interessanterweise ist ein Hauptgrund für die Beliebtheit von Online-Romanen unter der jungen Generation die Tatsache, dass sie von Wünschen handeln, die in Erfüllung gehen. Während ein Großteil der Leser in Kleinstädten lebt und sich selbst als »Diaosi-Leser« (Verlierer) bezeichnet, weil sie keine Eigentumswohnung besitzen oder keine Freundin haben, sind die Romanhelden attraktiv, mächtig und erfolgreich, und die spektakulären Plots laden die Leser ein, sich mit den Helden zu identifizieren.

Die Diaosi-Leser haben das Gefühl, noch mehr Gestaltungsmacht zu besitzen, wenn sie die Richtung einer Romanhandlung verändern können, indem sie ihr Feedback und ihre Empfehlungen veröffentlichen. Die meisten Online-Literatur-Websites schließen eine Belohnungsfunktion ein, mit der Leser Web-Autoren nach eigenem Ermessen Geld zuerkennen oder Belobigungen aussprechen können. Wenn sich zum Beispiel ein Leser darüber freut, dass der Plot gemäß seinem Vorschlag verändert wurde, kann er dem Autor einmalig ein Trinkgeld beliebiger Höhe (als »Geschenk«) zukommen lassen.

Wenn Autoren ihre Plots detailliert ausgearbeitet haben, bevor sie mit der Niederschrift ihrer Werke beginnen, können Leser möglicherweise keinen Einfluss mehr darauf nehmen. Wenn die Fans die aktuelle Fortsetzungsfolge lesen, arbeitet der Autor vielleicht schon an zukünftigen Folgen. Aber das würde dem Traum von Diaosi-Lesern nicht unbedingt ein Ende setzen, denn die Leser können zu Autoren eigener Werke werden.

Bei Online-Romanen kann jeder seine eigene Erzählung veröffentlichen, sobald einige Teillieferungen abgeschlossen sind, und sie sehr schnell mit Lesern diskutieren. Das ist der größte Unterschied zwischen Online-Romanen und traditionellen Büchern: Der Autor muss den Plot nicht vollständig ausarbeiten, und er muss vor der Veröffentlichung nicht alle Kapitel niedergeschrieben haben. Vielmehr benötigt ein Nutzer lediglich einige Tausend Wörter, um einen Roman zu beginnen und seinen Lesern zu zeigen, was er schreibt.

Es ist daher für Fans sehr leicht, selbst zu Autoren zu werden, was Websites für Online-Romane zu dynamischen Plattformen macht. Weil das Internet die Einstiegshürden für ehrgeizige junge Schriftsteller beseitigt hat, können auch unbekannte Autoren mühelos Bestseller landen.

Die Millionen von Online-Schriftstellern in China werden laut einer neueren Umfrage der Pekinger Tageszeitung *Jinghua Times* von ihren Lesern je nach ihrem Jahreseinkommen (bis zu 1 Million Dollar) und der Zahl ihrer Fans (bis zu mehreren Millionen) in fünf Kategorien eingestuft. Außer den am niedrigsten rangierenden »pu-jie«-Autoren, was mit »Autoren, die tot auf der Straße umfallen« übersetzt werden kann, werden alle professionellen Schriftsteller in höheren Kategorien »Götter« genannt. Wie die Gottheiten des griechischen Pantheons haben sie verschiedene Titel: »kleine Götter«, »mittlere Götter«, »Hauptgötter« und »höchste Götter«. Die »kleinen Götter« (über 100.000 Fans und über 15.000 Dollar Einkünfte) und die »mittleren Götter« (über 500.000 Fans und über 80.000 Dollar Einkünfte) bilden den Kern des Ökosystems der Online-Romane.

Aufgrund der riesigen Zahl der Fans von Online-Romanen geht ihr gemeinsamer Einfluss über den Lesemarkt hinaus. In der Regel sind Fans literarischer Werke nicht nur Leser; sie sind oftmals auch interessierte Zuschauer von Dramen und Filmen, die von diesen literarischen Vorlagen inspiriert sind, oder sie sind Fans von Computerspielen oder Zeichentrickfilmen. Viele populäre Online-Romane dienten als Vorlage für traditionelle Druckwerke, Computerspiele, Videos und Blockbuster-Filme. Als solches ist die Internetliteratur die Basis für urheberrechtlich geschützte Werke innerhalb einer Fan-Ökonomie, die viel größer ist, als es ursprünglich den Anschein hatte.

Renaissance von Weibo und UGC

Sina Weibo wurde 2009 als Microblogging-Dienst (die wörtliche Bedeutung von *weibo* im Chinesischen) gegründet und gilt als »Chinas Twitter«. Wie Twitter funktionierte auch Weibo als ein Follower-/Followee-Netzwerk, es setzte auf ähnliche Meinungsführer in China, etwa Medienstars und Unternehmensleiter, um eine Nutzerbasis aufzubauen. Weibo hatte anfänglich ebenfalls eine 140-Zeichen-Grenze für Posts (diese wurde 2016 im Zug der Neuausrichtung seines Geschäftsmodells aufgehoben).

Seit 2016 hat sich Weibo in eine umfassende Medienplattform umgewandelt, die sämtliche Inhalte und Merkmale von Social-Media-Kanälen wie Twitter (Text), YouTube (Videos) und Instagram (Bilder) kombiniert. Das Unternehmen verzeichnete in den Jahren 2016 und 2017 das höchste Umsatzwachstum, und sein Aktienkurs (an der NASDAQ) verfünffachte sich. Im gleichen Zeitraum war Weibo an der Börse mehr wert als Twitter.

Getrieben wurde der steile Kursanstieg der Weibo-Aktie vor allem von der bemerkenswerten Ausweitung seiner Nutzerzahl in den Jahren 2016 und 2017. Laut dem jüngsten Geschäftsbericht von Anfang 2018 hatte Weibo Ende 2017 392 Millionen MAUs (monatlich aktive Nutzer), eine über 50-prozentige Steigerung gegenüber Ende 2015; im Jahr 2017 hatte Weibo durchschnittlich 172 Millionen DAUs (täglich aktive Nutzer), was ebenfalls ein über 50-prozentiger Zuwachs gegenüber den durchschnittlich 106 Millionen DAUs im Jahr 2015 ist.

Weibos starkes Wachstum in den letzten Jahren hat viele überrascht. Zum einen geht der Trend in der Video-Streaming-

Branche von nutzergenerierten Inhalten (UGC) zu professionell generierten Inhalten (PGC), da Betrachter verstärkt qualitativ hochwertige Inhalte fordern. Zum anderen sind viele Leute von Weibo auf Tencents Social-Messaging-App WeChat umgestiegen, weil Letztere die populärere Plattform für das öffentliche Bedürfnis nach sozialer Vernetzung, mobilem Nachrichtenversand und interaktiven Privatgesprächen ist. Folglich ging Weibos Wachstum zurück, und viele prognostizierten damit Weibos Ende. Aber Weibo ist alles andere als tot – sein neues Medien-Ökosystem ist lebendiger denn je.

Wie erklärt sich der erneute Aufschwung von Weibo? Die Antwort ist einfach: Nutzer verlangen vielfältigere Inhalte und eine aktivere Teilnahme an der Entwicklung von Inhalten, und Weibo hat richtig reagiert. Um die wachsenden Nutzerbedürfnisse zu befriedigen, hat das Unternehmen sich grundlegend neu positioniert – Weibo ist heute ein Social-Media-Unternehmen, kein Microblogging-Dienst mehr. Zu diesem Zweck konzentrierte sich Weibo auf die Entwicklung einfacher, nützlicher Werkzeuge, um seine Nutzer zu befähigen, Inhalte zu entdecken, zu erstellen und zu verteilen, öffentlich ihre Meinung zu äußern und mit anderen in Echtzeit auf der Plattform zu interagieren.

Das Ökosystem der Weibo-Plattform hat sich in vier Aspekten grundlegend verändert:

Erstens wurde die Nutzerbasis durch die Positionierung in den Social Media und eine »Mobil zuerst«-Strategie erweitert. Weibo erlaubt vielen Chinesen, sich öffentlich Gehör zu verschaffen und die reichhaltigen Ideen, Kulturen und Erfahrungen der weiteren Welt kennenzulernen, statt lediglich die

Standpunkte von Meinungsführern zu lesen, als Weibo noch das chinesische Twitter war. Interessanterweise kam das jüngste Mitgliederwachstum wie bei den weiter oben beschriebenen Kino- und Online-Literatur-Plattformen stärker aufgrund der nachrangigen, kleineren Städte zustande als durch Zuwachs in den urbanen Ballungszentren der Kategorie 1 und 2 in China. Lange Zeit haben Bewohner von Großstädten der Kategorien 1 und 2 neue Technologien als Erste übernommen, und sie haben Markttrends geprägt (»Städte der Kategorie 1« sind die vier Megastädte Peking, Schanghai, Guangzhou und Shenzhen, während »Städte der Kategorie 2« lose definiert sind als etwa zwei Dutzend weitere Großstädte, überwiegend in den höher entwickelten Küstenregionen Chinas). In den letzten Jahren allerdings haben Städte der Kategorien 3, 4 und 5 mehr neue Nutzer beigesteuert.

Zweitens hat die aktive Beteiligung der Nutzer zugenommen. Die Weibo-Plattform stellt Nutzern die Mittel zur Selbstdarstellung in Echtzeit bereit, die nicht länger auf Prominente beschränkt sind. Alle Nutzer – einschließlich der Mehrheit derjenigen, die »passive Fans« gewesen sind – können einen Feed erstellen und posten und Multimediainhalte anhängen. Sie können auf der Plattform auch miteinander interagieren, indem sie einander folgen, Beiträge reposten, Kommentare hinzufügen und private Nachrichten senden. Ihre Rollen als Fans und Content-Ersteller sind miteinander verschränkt, weil Beziehungen zwischen Nutzern auf Weibo asymmetrisch sein können: Jeder User kann jedem anderen User folgen und einen Feed, den er repostet, mit Kommentaren versehen. Die einfache, asymmetrische und verteilte

Struktur von Weibo ermöglicht einem ursprünglichen Feed, zu einem viralen Live-Gesprächsstrom zu werden.

Drittens gibt es mehr Inhalte im Videoformat. Aufgrund der großen Anzahl von Smartphone-Nutzern werden Videos – insbesondere Kurzvideos und Streaming auf Mobilgeräten – in China immer populärer. Einerseits nimmt der Konsum von Videoinhalten rasch zu; andererseits wendet sich die jüngere Generation zunehmend Kurzvideos zu, die sie als Mittel sozialer Interaktionen nutzt. Durch Bereitstellung einer benutzerfreundlichen Infrastruktur zum Erstellen und Teilen sowie für den Konsum von Videos insbesondere in einer kostengünstigen Weise hat Weibo die Erfahrungsmöglichkeiten seiner Nutzer erheblich erweitert: Heute kann jeder Nutzer eigene Videoinhalte produzieren.

Viertens sind aufgrund der vorherigen drei Faktoren mehr »Content-Entwickler/Influencer« auf der Plattform aktiv. Bis heute sind die größten Weibo-Stars nach wie vor die »traditionellen Prominenten« – die Filmstars, die Spitzensportler und Unternehmer, die ihren großen Durchbruch zuvor durch Fernsehen, Kino oder andere herkömmliche Kanäle schafften. Viele haben zig Millionen Follower aufgrund der Tatsache, dass sie zur ersten Gruppe von Prominenten gehören, die der Plattform beigetreten sind, seit sie im Jahr 2009 gegründet wurde (sogenannte Big V, hinter deren Namen ein »V« steht, weil ihre Konten von Weibo verifiziert wurden).

In den letzten Jahren tauchten jedoch Online-Prominente (*wanghong* im Chinesischen) auf, die durch das Internet Selfmade-Influencer geworden sind. Diese Internetprominenten reichen von Komikern (wie Papi Jiang, die dadurch berühmt wurde, dass sie witzige Videos von sich postete) bis zu Mode-Bloggern oder auch Bücherwürmern, die sich gut in esoterischen Themen auskennen. Einige sind sogar einfach nur deshalb berühmt geworden, weil sie viel bloggen oder ein außergewöhnliches Aussehen haben. Als Selfmade-Prominente werden sie auch »Prominente aus dem einfachen Volk« (chin. *Caogen Hongren*) genannt.

Diese Prominenten können Hunderttausende oder gar Millionen von Followern haben, und sie werden in »mittlere V« und »kleine V« (im Vergleich zu den »Big V«) eingeteilt. Die mittleren V- und kleinen V-Spieler bilden wie die »mittleren Götter« und »kleinen Götter« in der Online-Literatur den Kern und den aktivsten Teil des Ökosystems. Da sie eine beträchtliche Zahl von Fans/Followern haben, können sie ihr »soziales Kapital« auf Weibo durch Werbung, E-Commerce, Abonnements, Trinkgelder und andere Mittel zu Geld machen; dies führt zu immer innovativeren Synergien zwischen Unterhaltung und E-Commerce.

Weibo hat also den Übergang vom Microblogging- zum Multimedia-Dienst erfolgreich gemeistert und dabei aus traditionell passiven Fans aktive Content-Entwickler gemacht. Die Big V generieren noch immer viele Zuschaueraufrufe, aber aus der Gruppe der einfachen Nutzer tauchen immer mehr aktive Spieler auf, und viele von ihnen haben sich erfolgreich entwickelt.

Allerdings nimmt die Nachfrage nach Unterhaltungsangeboten immer weiter zu. Im Jahr 2018 drängen innovative Social-Media-Unternehmen auf den Markt, die mit Hilfe modernster digitaler Technologien Weibo angreifen. Infolgedessen geriet der Kurs der Weibo-Aktie in letzter Zeit unter Druck.

Douyin und das Aufkommen von PUGC

Die KI-gestützte mobile Videoplattform Douyin (wörtlich »bebende« oder »vibrierende Stimme«) wurde 2016 von dem Pekinger Softwareunternehmen Bytedance am Markt eingeführt. Douyin wurde ursprünglich als eine App für »die kreativen Generationen« entwickelt - urbane Millennials (Generation Y) und Zillennials (Generation Z) -, und sie hat Chinas jüngere Generation im Sturm erobert. Im ersten Quartal 2018 firmierte Douyin ganz oben auf der weltweiten Downloadliste im iOS App Store. International wurde es 45,8 Millionen Mal heruntergeladen, womit es die bekanntere Apps YouTube und WhatsApp deutlich übertraf.

Im Grunde ist es eine musikalische Kurzvideo-App mit umfangreichen Editierfunktionen. User können damit 15-Sekunden-Videos mit zusätzlichen Spezialeffekten erstellen, wie Wackeln und schillernden Farben und populärer Hip Hop-Musik, bevor sie sie teilen. Gegenwärtig hat Douying über 300Millionen monatliche Nutzer, von denen ungefähr 75 Prozent junge Leute zwischen 18 und 35 Jahren sind, und sie sind sowohl die eifrigsten Zuschauer als auch die aktivsten Videomacher.

Was junge Nutzer ganz besonders anzieht, ist die Tatsache, dass Douyin geschliffenere, qualitativ höherwertige und handwerklich anspruchsvollere Inhalte anbietet als andere Kurzvideoplattformen in China. Außerdem sind einige Douyin-Inhalte auch international populär geworden. So haben sich im Jahr 2017 »Karma's a bitch«-Makeover-Videos, in denen Nutzer auftraten, die ihr Aussehen blitzschnell veränderten, während sie lippensynchron »Karma's a bitch« sangen, rasend schnell im Internet verbreitet.

Der »get better«-Aspekt von Douyin ist die größte Stärke dieser digitalen Technologie-zentrierten Plattform. Zunächst einmal ist es eine echte Herausforderung, populäre Videoinhalte zu kreieren, eine viel größere, als populäre Online-Romane zu schreiben. Da viele Chinesen schüchtern und reserviert sind, sind sie nur widerwillig bereit, ohne professionelle Unterstützung aufzutreten und eigene Videos anzufertigen. Aus diesem Grund stellt Douyin zahlreiche Videovorlagen, Anleitungen und Beispiele bereit, um das Interesse der Nutzer an eigenen Kreationen zu fördern. Die User können scheinbar endlose Möglichkeiten ausnutzen, um professionell aussehende, ausgefeilte Videos anzufertigen.

Außerdem zeichnet sich Douyin dadurch aus, dass sich rasch zentrale Meinungsführer (KOL) auf seiner Plattform durchsetzen. Einerseits verfolgt Douyin mit einem leistungsfähigen Algorithmus das Browsing von Inhalten und Interaktionschroniken, um die Zusammenhänge zwischen Videoinhalten, Nutzermerkmalen und Nutzerverhalten zu analysieren. Andererseits nutzt Douyin auch Algorithmen, um Zuschauern die besten Videos – beurteilt nach ihrer Popularität – zuzuspielen. Da sich die beiden Aspekte der Algorithmen gegenseitig verstärken, ermöglicht das System Nutzern mit populären Inhalten, ihre Fanbasis schnell zu vergrößern und KOLs zu werden.

Mit dem Aufkommen von KOLs sowie seiner umfangreichen und jugendlichen Nutzerbasis und der führenden Position bei Kurzvideos ist Douyin ein immer attraktiverer digitaler Marketingkanal geworden. In der Zukunft könnte

Douyin ein mächtiger Akteur im E-Commerce werden, der möglicherweise die etablierten Imperien von Alibaba und Tencent herausfordern wird. Allerdings verschärft sich der Konkurrenzkampf. So hat zum Beispiel der zu Baidu gehörende Videostreaming-Dienst iQiyi unlängst seine Mini-Videoapp Nadou eingeführt, die ebenfalls KI-basierte Algorithmen zur Analyse von Online-Trends und zur Editierung von Videoclips einsetzt. Alibaba und Tencent nutzen Kurzvideos, um junge Nutzer auf ihre Plattformen zu locken. Anfang 2018 gingen Douyin und Tencent sogar so weit, sich gegenseitig wegen Rechten an Inhalten und Daten zu verklagen. Der Wettbewerb um die Fan-Ökonomie wird sich weiter verschärfen.

Die hier vorgestellten Fallbeispiele haben gezeigt, welches die Schlüsselfaktoren erfolgreicher Fan-Ökonomie-Ökosysteme sind: Je größer die Zahl von Content-Entwicklern, umso vielfältiger ist das Angebot an Inhalten und umso aktiver und nachhaltiger sind die Plattformen. So kann ein erfolgreiches Content-Ökosystem nur so leistungsfähig sein wie sein mittlerer Kern, der sowohl aus begeisterten Fans als auch aus aktiven Content-Gestaltern selbst besteht (sie sind die mittleren Götter der Online-Romane, mittlere V-Prominente auf Weibo oder die populären KOLs von Douyin).

Allerdings ist das keine leichte Aufgabe. Letztlich konkurrieren die Unternehmen der digitalen Ökonomie um die Zeit und die Aufmerksamkeit chinesischer Internetnutzer – tatsächlich belegt die wachsende Popularität von Kurzvideos die schrumpfende Aufmerksamkeitsspanne gewöhnlicher Nutzer. Aus diesem Grund ist in der Ära des »KI-

Entertainment« der Wettbewerb zwischen Douyin, BAT und anderen aufstrebenden Start-ups der Fan-Ökonomie komplexer und anspruchsvoller als zuvor. Um den »Kern« anzusprechen, zu motivieren und zu fördern, müssen sie nicht nur die größtmögliche Nutzerbasis für den Konsum und das Teilen von Medieninhalten anhäufen, sondern auch gewöhnlichen Nutzern modernste digitale Werkzeuge an die Hand geben, damit sie selbst originelle Inhalte kreieren können.

Sharing Economy und Smart Dream

Chinas »Ameisenvolk«

In China lebt eine Gruppe gebildeter junger Menschen am Rand der Gesellschaft. Es sind junge Menschen, die auf dem Land geboren wurden und aufwuchsen, studierten, aber nach dem Abschluss nicht in der Lage waren, in Städten wie Peking oder Schanghai ihren Traumjob an Land zu ziehen. Sie nennen sich selbst »Ameisenvolk«, zum einen, weil sie fleißig und arbeitsam sind, aber zum anderen auch wegen ihrer beengten und kümmerlichen Lebensbedingungen. Das Ameisenvolk ist ein Beleg dafür, dass bei Weitem nicht alle Hochschulabsolventen vom wirtschaftlichen Boom in China profitieren.

Dieses Missverhältnis ist teilweise auf das herrschende chinesische Wirtschaftsmodell, das großes Gewicht auf Handel (Import/Export) und Investitionen (Infrastruktur) legt, aber nur in begrenztem Rahmen Bürojobs schafft, zurückzuführen. Eine aktuelle landesweite Erhebung hat gezeigt, dass Hochschulabsolventen Anfang zwanzig ein viermal höheres Risiko der Arbeitslosigkeit haben als Chinesen, die lediglich einen Hauptschulabschluss haben.

In den letzten Kapiteln haben wir die gegenwärtige digitale Transformation der chinesischen Wirtschaft beschrieben, die zum raschen Wachstum des Bruttoinlandsprodukts beiträgt. Die Internetbranche und die aufstrebenden digitalen Wirtschaftssektoren sind Chinas neuer Wachstumsmotor, wenn es den Schwerpunkt seiner wirtschaftlichen Entwicklung von Investitionen und Außenhandel weg hin zum inländischen Konsum verlagert. Arbeitsplätze für Fachkräfte in Hightech-Branchen werden ehrgeizigen jungen Leuten die Chance geben, ihre Hochschulbildung voll zur Geltung zu bringen. Außerdem ergeben sich im Zuge der Vertiefung der Wirtschaftsreformen in China jede Menge Chancen für Existenzgründer. Da das mobile Internet und digitale Technologien ineffiziente alteingesessene Unternehmen herausfordern, kann die junge Generation in der »neuen Ökonomie« eigene Projekte verfolgen, statt in den »traditionellen Industrien«, die langfristig wenig aussichtsreich erscheinen, nach einer Anstellung zu suchen. Erfolgreiche Megastar-Unternehmer wie Jack Ma, der Mitgründer von Alibaba, und Pony Ma, der Gründer von Tencent, sind ihre neuen Vorbilder. In Dutzenden von Städten wie Peking und Schanghai werden Hochschulabsolventen und junge Fachkräfte durch Steuernachlässe zur Existenzgründung ermuntert.

Am wichtigsten aber ist, dass die »Ameisen-Generation« im Rahmen der »Sharing Economy« den »Chinesischen Traum« auch als persönlichen Wohlstand definiert. Wie die

Bevölkerung insgesamt sind sie sich deutlich der ökologischen Herausforderungen und der Einkommensungleichheit bewusst, die eine Folge des Wirtschaftsbooms sind, und viele haben bereits das Sharing-Modell akzeptiert. So nimmt zum Beispiel die Bedeutung eines eigenen Autos als Statussymbol ab. Laut Markterhebungen von Bain & Company waren im Jahr 2014 fast 60 Prozent der Verbraucher in Mega- und Großstädten der Meinung, ein eigenes Auto erhöhe den sozialen Status. Aber innerhalb von nur drei Jahren verlor das eigene Auto etwas von seinem Glanz. Im Jahr 2017 stimmten nicht einmal mehr 50 Prozent der Aussage zu.

Viele Industrien in China werden sich bald, wie die Autoindustrie, im Gefolge von massiven Energieversorgungsengpässen, Verkehrsproblemen und Umweltzerstörung in einem Dilemma befinden. Außerdem ist das erstaunliche Wachstum der Sharing Economy, die Zugang stärker gewichtet als Besitz, auch ein wesentliches Element der digitalen Transformation Chinas. Viele chinesische Innovationen wie etwa das Fahrradverleih-Modell wurden auch von den USA und anderen Ländern übernommen. Daher ist der neue chinesische Traum ein verheißungsvoller »Smart Dream« – durch digitale Innovationen bekommt jeder ein Stück von einem SMARTEREN Kuchen.

Die steigende Nachfrage nach innerstädtischen Beförderungsdiensten steht im Zentrum des urbanen Lebensstils des modernen Chinas. Obgleich sich immer mehr Menschen Autos kaufen, nimmt die Nachfrage nach Taxidiensten stetig zu, weil viele Städte in den letzten Jahren enorme Bevölkerungszuwächse verzeichneten. Aber chinesische Städte begrenzen den Grundtarif für Taxifahrten. In Kommunen, in denen die behördlich festgesetzten Taxitarife niedrig gehalten oder sogar gesenkt werden, streiken Taxifahrer von Zeit zu Zeit, was es fast unmöglich macht, ein Taxi zu rufen.

Im Jahr 2012 kamen die ersten Fahrdienstanbieter-Apps auf, über die Smartphone-Nutzer Taxifahrten oder Limousinendienste buchen und bezahlen können, und dies hat die Art und Weise verändert, wie sich viele Chinesen in ihren Städten fortbewegen. Die beiden führenden Fahrdienstleistungsanbieter, die zunächst als Taxiunternehmen begannen, wurden von zwei der größten Internetfirmen Chinas, Alibaba und Tencent, unterstützt. Vor ihrer Fusion investierte Alibaba in Kuaidi und Tencent in Didi. Der in San Francisco ansässige Fahrdienstvermittler Uber stieg relativ spät in den Markt für Personenbeförderungsdienste in China ein. Uber expandierte erst nach Dezember 2014, als es eine Beteiligung an den chinesischen Suchmaschinengiganten Baidu verkaufte und seinen Dienst in Baidus Map-App und Bezahlsystem integrierte, massiv in China.

Anfangs unterschied sich das Taxibestellmodell Didis und Kuaidis von der Fahrdienstvermittlung Ubers. Die Internetunternehmen verdienen mit diesen Taxifahrten kein Geld, und die Bestell-App ist lediglich ein Instrument, um Kunden für andere Personenbeförderungsdienste zu akquirieren. Im Lauf der Zeit begannen sie dann, ihren riesigen Kundenbestand mit einem sogenannten Freemium-Modell zu Geld zu machen: Sie erweiterten ihr Angebot um Premium-Beförderungsdienste und Mitfahrangebote, die die beiden Hauptgeschäftsfelder von Uber im globalen Maßstab sind. Später endeten die drei Unternehmen - jeweils unterstützt von einem der BAT - im gleichen Geschäftsfeld, und nun konkurrieren sie erbittert um den chinesischen Markt. Nach ihrer Einführung in China haben diese Apps bei den chinesischen Stadtbewohnern sofort großen Anklang gefunden. Die verstopften Großstädte, unzureichende öffentliche Verkehrssysteme und relativ große Flotten billiger Taxis sind auf dem chinesischen Markt die idealen Voraussetzungen für mobile Taxibestelldienste. Nach einem kostspieligen Preiskrieg beschlossen Didi und Kuaidi, im Februar 2015 miteinander zu fusionieren. Dann setzte Didi-Kuaidi die erbitterte Rabattschlacht mit dem verbliebenen Uber bis 2016 fort, als die Didi-Kuaidi und Uber China ebenfalls fusionierten und Didi im Markt für Fahrdienstvermittlungen eine beherrschende Stellung einnahm.

Heute benutzen viele chinesische Städter gewohnheitsmäßig diese Apps für Mobilitätsdienste. Laut Markterhebungen von Bain & Company haben chinesische Verbraucher die mobile Fahrdienstvermittlung und Bikesharing populär gemacht: 62 beziehungsweise 73 Prozent der Befragten nutzten 2017 diese Mobilitätslösungen. Dagegen nutzten weniger als ein Drittel der Befragten mobile Fahrdienstvermittler in Deutschland (29 Prozent) und den USA (23 Prozent), und noch weniger nutzten Bikesharing.

China ist auch weltweit der größte Markt: Der Umsatz mobiler Fahrdienstvermittler erreicht in China schätzungsweise 23 Milliarden Dollar, mehr als im Rest der Welt zusammengenommen. Noch interessanter ist die Tatsache, dass das Geschäft von Uber in China viel schneller gewachsen ist als in den USA.

Der Hauptgrund ist selbstverständlich die große städtische Bevölkerung und die hohe Konzentration von Stadtbewohnern im Anschluss an die Urbanisierungsinitiative der Zentralregierung. China zählt etwa 200 Städte mit über einer Million Einwohnern, die perfekte Orte sind, um »Shared Economy«-Geschäftsmodelle zu entwickeln. In dem Maße, wie das chinesische Wirtschaftswachstum mehr Menschen erstmals zu persönlichem Wohlstand bringt, ist die Nachfrage nach Gütern und Dienstleistungen unter Städtern stark angestiegen, und den Städten bleibt gar nichts anderes übrig, als »Shared Economy«-Modelle einzuführen.

Außerdem übernehmen chinesische Kunden bereitwillig soziale Netzwerkdienste und mobile Bezahlsysteme. Mobile Apps für Fahrdienstvermittlung sind im Grunde neue digitale Dienste, die am besten die »nur mobil«-Richtung in China repräsentieren: Man kann zwar Informationen auf einem PC posten, aber man kann keinen PC tragen, während man ein Taxi an der Straße herbeiwinkt. Einerseits bedeutet »nur mobil« für viele Menschen in China, dass sie nur über ihre mobilen Geräte Zugang zum Internet haben. Andererseits bedeutet »nur mobil« auch, dass für Aktivitäten, die nur auf mobile Weise gehandhabt werden können, wie die Fahrdienstvermittlung, China der beste Ort ist, um neue Apps einzuführen.

In diesem Zusammenhang ist China vielleicht das beste Versuchslabor für »Shared Economy«-Apps. Das mobile Internet und Smartphones haben einen neuen sozialen Koordinierungsmechanismus geschaffen, mit weitreichenden Folgen: Neue mobile Apps können in China vermutlich schneller Marktrückmeldungen erzeugen und eine kritische Marktdurchdringung erreichen als andernorts, weil sich neue Technologien auf der Basis einer »mobilen Infrastruktur« in China schneller ausbreiten. Nach der »Erziehung« durch mobile Fahrdienstvermittler waren chinesische Nutzer besonders empfänglich für Bikesharing und sonstige Sharing-Angebote auf Smartphone-Basis.

Bikesharing

In den 80er Jahren galt China als das »Land der Radfahrer«, mit Fahrradwegen so breit wie Autobahnen, auf denen zu Stoßzeiten mehr als eine halbe Milliarde Pendler unterwegs waren. Im Zuge der »Öffnungs- und Reformpolitik« in den 90er Jahren wurden die Beförderungsfahrzeuge in China entsprechend modernisiert. Bus- und U-Bahn-Netze wurden massiv ausgebaut, Elektroroller wurden populär, Taxis erschwinglich – und in den letzten Jahren begannen Familien, eigene Autos zu besitzen. Fahrbahnen wurden breiter, Fahrradwege schmäler.

Daher ist es wirklich interessant zu sehen, dass das bescheidene Fahrrad aufgrund der digitalen Revolution in den kosmopolitischen Städten Chinas ein unerwartetes Comeback hatte. Seit 2016 steht auf den Gehwegen der großen Städte Chinas eine bunte Auswahl an »Leihrädern«. Weil sie praktisch, umweltfreundlich, bequem und billig sind, sind Räder zum bevorzugten Fortbewegungsmittel von Städtern, Studenten und jungen Fachkräften in Chinas führenden Städten geworden.

Drei besondere Merkmale des Bikesharing in China machen es besonders populär:

Es ist, erstens, das praktischste Beförderungsmittel für die »letzte Meile«. Trotz mehr Straßen, Bussen, U-Bahnen und Taxis als je zuvor ist der städtische Verkehr nach wie vor eine Herausforderung, insbesondere für kurze Pendelstrecken von den Wohnungen der Menschen zu den Bus- und U-Bahn-Stationen. Laut der Schätzung des staatlichen Informationszentrums ist es 17,9 Prozent effizienter, für die Fortbewegung in Städten ein »Leihrad + U-Bahn« als einen privaten Pkw zu benutzen. Viele Menschen haben Leihräder zunächst für die »letzte Meile« verwendet, und jetzt legen sie auch längere Entfernungen damit zurück, auch weil Menschen sich immer mehr des Problems der Luftverschmutzung in China bewusst werden. Zweitens ist es »stationslos« (»andocklos«), sodass die Nutzer die Räder nach der Fahrt nicht zurückbringen müssen. Die Fahrräder können überall und jederzeit benutzt werden, ohne dass sie zur Ausgabestelle zurückgebracht werden müssen (andere Nutzer können die Fahrräder durch GPS-Systeme lokalisieren); dies sorgt für eine angenehmere Nutzererfahrung sowie höhere Gewinnmargen.

Der Preis pro Fahrt ist drittens billig und lässt sich bequem bezahlen. Nutzer können ein Fahrrad, solange sie wollen, zu unglaublich niedrigen Preisen nutzen (für gewöhnlich 1 RMB/13 Cent für 30 Minuten). Man braucht lediglich ein Smartphone: um das nächste Fahrrad über GPS ausfindig zu machen, seinen QR-Code zu scannen und über WeChat oder Alipay, zwei der populärsten Online-Bezahldienste Chinas, die sehr niedrige Gebühr zu bezahlen und ein Passwort zu erhalten, um das intelligente Schloss des Bikes zu öffnen.

Schon bald wuchsen diese Start-ups exponentiell sowohl hinsichtlich ihrer Kundenbasis als auch bezüglich der Städte, in denen sie ihre Dienste anbieten. Aber nur eine Handvoll von ihnen sind heute noch am Markt, da der erbitterte Wettbewerb und sehr geringe Gewinnmargen viele zum Aufgeben zwangen. Die zwei führenden Marken sind heute Mobike (orange Fahrräder) und Ofo (gelbe Fahrräder), die gemeinsam 90 Prozent des Marktes kontrollieren.

Außerdem hat sich das Bikesharing-Modell in China auch schnell auf die globalen Märkte ausgedehnt. Dadurch, dass das neue Bikesharing-Modell das Radfahren in der Stadt erschwinglicher, populärer und leicht zugänglich macht, stellt es bedarfsgerechte, nachhaltige Mobilitätslösungen für Menschen und Städte weltweit zur Verfügung. Laut dem Sharing Economy Report des staatlichen Informationszentrums waren bis Ende 2017 20 Milliarden RMB (2,7 Milliarden Euro) an Finanzmitteln ins Bikesharing investiert worden, und es erreichte mehr als 400 Millionen Nutzer in 304 Städten in über 20 Ländern.

Folglich singen die chinesischen Medien ein Hohelied auf Mobike und Ofo, »die Pioniere des Bikesharing in China und im Rest der Welt«. Das Bikesharing-Modell gilt als eine der »wenigen original chinesischen Tech-Marken mit eigenem Design« und folglich als »eine neue Visitenkarte für die Innovationskraft Chinas in der Welt«. Allerdings steht das Bikesharing-Geschäft noch immer vor vielen Herausforderungen:

- *Hoher Investitionsaufwand:* Typische Sharing-Economy-Plattformen sind nicht unbedingt Eigentümer ihrer Vermögenswerte; so besitzt etwa Airbnb keine Hotels und Uber keine Fahrzeuge. Aber die Bikesharing-Firmen müssen Kapital einsetzen, um Fahrräder zu kaufen.
- *Hohe Betriebskosten:* Die Unternehmen müssen Fahrräder warten und die beschädigten Räder ersetzen. Laut einer aktuellen Studie von Penguin Intelligence sind über 30 Prozent der Ofo-Fahrräder beschädigt und müssen repariert werden. Einige Start-ups kämpften mit Diebstahl und Vandalismus – so soll das Unternehmen Wukong in nur sechs Monaten 90 Prozent seiner Fahrräder verloren haben.
- *Niedrige Eintrittsschranken und scharfer Wettbewerb:* Alle Bikesharing-Unternehmen erbringen im Wesentlichen die gleiche Dienstleistung, was zu einem Überangebot an Leihrädern auf der Straße und einem intensiven Wettbewerb zwischen ihnen führt.
- *Es ist schwer, die Gewinnschwelle zu erreichen:* Der Preis pro Fahrt ist sehr niedrig, und Unternehmen, die ihren Marktanteil vergrößern wollen, müssen Fahrern verschiedene Rabatte und Vergünstigungen gewähren. Der Preiskampf schadet allen Unternehmen am Markt.

Heute verändert sich die Wettbewerbssituation durch den Eintritt großer Internetplattformen in den Bikesharing-Markt. Didi, ursprünglich ein Fahrdienstvermittler, expandiert stetig in neue Felder wie Mietautos, Elektrofahrzeuge und Fahrraddienste auf Anfrage. Im Januar 2018 führte Didi ein Leihradmerkmal in seine App ein, um Dienste von zwei Partner-Fahrradverleihfirmen, Ofo und Bluegogo, anzubieten, und es plant, eine eigene Fahrradverleihmarke einzuführen. Ausgehend von seiner Stärke im Bereich Personenbeförderung hat Didi angedeutet, dass es überlegt, in die Nahrungsmittelzustellung einzusteigen.

Im April 2018 übernahm Meituan-Dianping, die größte Lebensmittellieferplattform, die auch in die Vermittlung von Fahrdiensten einsteigt, Mobike für fast 3 Milliarden Dollar, um einen Fuß in den Bikesharing-Markt zu setzen. Nach der Akquisition ist die Start-up-Rivalität zwischen Mobike und Ofo nicht länger von Belang, und die neue, größere Rivalität besteht zwischen den etablierten Plattformen Meituan und Didi, die beide eine marktbeherrschende Stellung in den Bereichen Personenbeförderung und Zustelldienste anstreben.

Meituan-Dianping und Didi gehören zu den drei Internetgiganten der »neuen Generation«, die mit den etablierten Plattformen von BAT (Baidu, Alibaba und Tencent) konkurrieren. Sie werden sich einen erbarmungslosen Konkurrenzkampf um Leihwagen, Leihräder und vieles weitere mehr liefern (angeblich entwickelt Meituan auch KI- und Drohnenzustellungstechnologien).

Die zahlreichen Leihwagen und -fahrräder, die heute auf den Straßen unterwegs sind, sind sozusagen die Flaggschiffe auf Rädern der Sharing Economy, die das Evangelium dieses neuen Wirtschaftsmodells verbreiten. Heute sind Fahrdienstvermittlung und Bikesharing nur ein kleiner Teil der umfassenderen Sharing Economy, die in China floriert.

Laut den Daten von IT Orange wurden 2017 in der Sharing Economy 59 neue Start-ups gegründet. Geteilte Powerbanks standen ganz oben auf der Liste der Beliebtheit. Diese Unternehmen bieten an Orten wie Einkaufszentren, Restaurants und anderen öffentlichen Plätzen transportierbare Batterien an. Nutzer mieten die Batterien, indem sie mit einer mobilen App einen QR-Code scannen, und sie zahlen weniger als 7 Cent (0,5 RMB) für eine halbstündige Nutzung. Leihregenschirme waren, mit 6 neuen Start-ups, die zweitpopulärste Kategorie.

Die chinesische Sharing Economy ist nicht mehr das, was sie ursprünglich einmal gewesen ist: der direkte Austausch unzureichend genutzter Güter und Dienstleistungen. Anders als Airbnb und Uber, die eine Plattform bereitstellen, die Nutzer mit nicht voll ausgelasteten vorhandenen Ressourcen wie Gästezimmer und privaten Autos verbindet, hat sich die Sharing Economy in China zu so etwas wie einem internetbasierten Vermietungsgeschäft entwickelt, wo die Sharing-Unternehmen alle möglichen Güter besitzen und diese an Nutzer verleihen. Außerdem gibt es eine Reihe von Produkten, die sich auf den Sharing-Märkten in den USA und Europa nicht leicht finden lassen:

- *Sexpuppen-Verleih:* Diese revolutionäre Idee sorgte am Markt zunächst für große Begeisterung, aber aufgrund der öffentlichen Empörung wurde sie schnell wieder aufgegeben.
- *Kapselbetten:* Die Schlafkabinen des Start-ups waren so entworfen, als kämen sie direkt aus einem Science-Fiction-Film, und sie wurden mit einem USB-Port, Leselampe und elektrischem Ventilator geliefert. Aber die Ausgabestellen wurden angeblich wegen fehlender Sicherheitsbescheinigungen oder Konzessionen geschlossen.
- *Kinderspielzeug:* Qualitätsspielzeug für Kinder kann teuer sein, und Kinder können ihm schnell entwachsen. Warum es nicht für einige Monaten nutzen und dann gegen neues Spielzeug eintauschen?
- *Basketball:* Wenn man an einem Basketballplatz vorbeikommt, möchte man vielleicht Körbe werfen, auch wenn man seinen eigenen Ball nicht dabeihat. Um einen Ball zu mieten, scannen User einen QR-Code auf Basketball-Leihschließfächern, die sich oftmals in der Nähe von Basketballplätzen befinden.
- *Koffer:* Wenn man ein winziges Apartment hat, ist es nicht besonders sinnvoll, sperrige Gepäckstücke aufzubewahren, die man nur gelegentlich benutzt.

Kurzum, »Sharing« in China bedeutet jetzt praktisch jedes kurzfristige Mieten eines Produkts oder einer Dienstleistung, die durch den weitverbreiteten Einsatz von Smartphones und etablierte mobile Bezahlsysteme ermöglicht wird. Aus diesem Grund mag »mobiles Mieten« der treffendere Ausdruck sein (oder auch »Renting 2.0«). Aber warum läuft »mobiles Mieten« in China so gut?

Die gleiche Schlüsselkomponente hinter allen »Sharing«-Projekten – von Autos und Fahrrädern, Basketbällen und Kühlschränken über Kleidung und Massagestühlen bis hin zu Luxushandtaschen und Telefonladegeräten – ist der mobile Bezahlmechanismus, bei dem China mit Abstand weltweit führend ist. Die Online-Sharing-(Miet-)Dienste sind mit häufigen Zahlungen kleiner Beträge von wechselnden Standorten verbunden, und die Nutzer können einfach einen QR-Code scannen, um sie durch einfaches Eintippen abzuschließen.

Ein weiterer positiver Faktor besteht darin, dass die chinesische Regierung gegenüber neuen Sharing-Economy-Unternehmen aufgeschlossen ist. Ministerpräsident Li Keqiang unterstützt die Sharing Economy, die er als »eine stärkende Kraft« in China bezeichnet hat. Die Staatliche Kommission für Entwicklung und Reform, die oberste ökonomische Planungsbehörde Chinas, hat Richtlinien über die Beseitigung von Marktschranken für neue Sharing-Unternehmen veröffentlicht. Außerdem haben Kommunalverwaltungen ausgewogene Vorschriften bezüglich strittiger Probleme erlassen (wie zum Beispiel Registrierungspflichten für Fahrer bei Fahrdienstvermittlungen). Wenn sowohl die Zentralregierung als auch die Gebietskörperschaften die Entwicklung der Sharing Economy in China weiterhin fördern, wird diese ihr kräftiges, dynamisches Wachstum beibehalten.

Obgleich die Sharing Economy mittlerweile das gesamte Spektrum persönlicher Güter abdeckt, werden sich nicht alle Ideen am Markt bewähren. Die meisten Sharing-Dienste sind mit erheblichen Vorlaufkosten verbunden, weil die Güter erst erworben werden müssen, ehe man sie teilen kann, gleichviel, ob große Güter wie Autos und Fahrräder oder kleine wie Regenschirme und tragbare Batterien. Aber die Gebühr pro Nutzung wird sehr niedrig festgesetzt, um die größtmögliche Zahl von Nutzern anzulocken. Folglich benötigen die jungen Unternehmen ständig neue Kapitalspritzen, während ihre Ertragskraft sehr schwach bleibt. Bei einigen Start-ups stellt sich sogar die grundlegende Frage, ob Nutzer ein echtes Bedürfnis haben, diese Produkte zu teilen, beziehungsweise ob sich die Güter überhaupt zum Teilen eignen (wie zum Beispiel Regenschirme).

Ein weiterer Unsicherheitsfaktor der Sharing Economy betrifft den Umstand, dass Menschen noch immer dabei sind, soziale Normen in Bezug auf gemeinsam genutzte Produkte und Dienstleistungen zu entwickeln. Weil die Nutzer nicht die Eigentümer sind, gibt es einen sorglosen Umgang mit öffentlichen Ressourcen, und die geliehenen Produkte werden nach dem Gebrauch oftmals wahllos aufgegeben. Wie es in einem Kommentar hieß: »Es liegt in der menschlichen Natur, sich nicht weiter um Dinge zu scheren.« Leihräder sind dafür vermutlich das bekannteste Beispiel. Die »Überall Parken«-Möglichkeit, die Leihräder so bequem macht, macht sie zugleich zu einem Störfaktor, weil leichtfertige Nutzer die Fahrräder oftmals wahllos am Straßenrand abstellen, womit sie auf Gehsteigen, an Bushaltestellen und an den Eingängen von Wohnanlagen für Chaos sorgen. Aufgrund des Überangebots an Fahrrädern (im Jahr 2017 wurden von mehr als 70 Unternehmen über 16 Millionen Fahrräder auf die Straßen gebracht) türmen sich an stark befahrenen Stellen Hunderte davon auf, und die Stadtverwaltungen müssen oftmals Zehntausende davon beschlagnahmen, um die Wege freizuhalten.

Dennoch hat sich die Sharing Economy in China dauerhaft etabliert, und sie wird voraussichtlich weiterhin expandieren. Die Verstädterung Chinas sorgt aufgrund der Kluft zwischen der wachsenden Nachfrage nach Ressourcen und dem begrenzten Angebot für zunehmende Spannungen, die wiederum einen größeren Bedarf für Sharing-Angebote erzeugen. Während sowohl China als auch der Rest der Welt am Anfang eines neuen Lebensstils stehen, der von individuellem Eigentum zur gemeinschaftlichen Nutzung führt, ist dieser Wandel in China aufgrund der schieren Zahl neuer Verbraucher wahrscheinlich bedeutsamer als irgendwo sonst.

Da die wachsende chinesische Wirtschaft heute mehr Menschen erstmals die Möglichkeit zu persönlichem Wohlstand verschafft, hat die Sharing Economy tiefgreifende Auswirkungen und erhebliche Wachstumspotenziale. Gegenwärtig umfasst die chinesische Mittelschicht 300 Millionen Menschen, und diese Zahl dürfte sich in den nächsten Jahren verdoppeln. Doch selbst wenn sie 600 Millionen Menschen zählt, ist diese Mittelschicht noch immer eine Minderheit der gesamten Bevölkerung von 1,4 Milliarden. Die Städte, Infrastrukturen und die Umwelt werden noch stärker belastet werden, wenn es weitere Hunderte von Millionen Menschen zu Wohlstand bringen.

Daher ist mobiles Mieten, das »eigentumslosen Zugang« ermöglicht, – zumindest für China – geschäftlich aussichtsreicher als die häufigere Nutzung nicht voll ausgelasteter vorhandener Vermögenswerte. Das ist vielleicht der Grund für die äußerst breite Definition von »Sharing Economy«, die das staatliche Informationszentrum Chinas für seine Statistiken zugrunde legt. Laut dieser Definition beherbergt China mehr Start-up-Einhörner (Privatunternehmen, die mit über einer Milliarde Dollar bewertet werden) in der Sharing Economy, und jedes zweite Einhorn in China (Ende 2017 insgesamt 60) stammt aus der Sharing Economy.

All diese neuen Start-ups verfolgen das gleiche Ziel: Sie wollen mithilfe digitaler Technologien die »Annehmlichkeitslücke« zwischen gemeinschaftlicher Nutzung und Eigentum überbrücken, sodass Menschen Dinge, die sie früher kaufen mussten, bei Bedarf einfach nur nutzen können. Das ist eine schnellere und effizientere Möglichkeit, um Menschen eine höhere Lebensqualität zu ermöglichen, vor allem, wenn man bedenkt, dass das Durchschnittseinkommen in China noch immer sehr niedrig ist und Verbraucher in vielerlei Hinsicht sehr preisbewusst sind. Die Sharing Economy schafft ein inklusiveres Modell der Urbanisierung und des Wirtschaftswachstums, und sie erlaubt mehr Chinesen, vom Boom in der digitalen Wirtschaft zu profitieren.

Die digitale Seidenstraße

Die Innovationsdynamik verlagert sich nach Osten

Als Präsident Xi Jinping während des Gipfeltreffens der Schanghaier Organisation für Zusammenarbeit (SCO) im September 2014 Tadschikistan besuchte, war das Smartphone von Chinas inländischer Marke ZTE auf seiner Liste nationaler Geschenke. Dieses ZTE-Modell gilt als eines der sichersten Handgeräte der Welt (vielleicht deshalb, weil ZTE das Forschungsteam von Blackberry angeworben hat, nachdem das kanadische Unternehmen aufgrund einer finanziellen Schieflage umstrukturieren musste).

Früher verschenkten chinesische Staatsführer traditionelle kunsthandwerkliche Produkte wie etwa Seide, Porzellan und Malereien bei diplomatischen Anlässen. Dass ein

Smartphone aus eigener Produktion als »nationales Geschenk« verwendet wurde, verdeutlichte die Fortschritte, die China in den letzten Jahren im Technologiesektor gemacht hat, und es demonstrierte auch Chinas Entschlossenheit, sich von der »Werkbank der Welt« für technisch einfache Güter in das »digitale China« zu verwandeln, in eine globale Macht der »Smart Economy«. In den letzten Jahren hat China dabei erhebliche Fortschritte gemacht.

Laut einer CBI-Insights-Erhebung von 2018 haben rund 80 Prozent der asiatischen Start-ups (46 von 58), deren Wert zwischen 2012 und 2017 auf mindestens 1 Milliarde Dollar geschätzt wurde (sogenannte Einhörner), ihren Sitz in China. 29 der 46 entfielen auf Schanghai und 17 auf Peking: China war dem US-Markt, wo im Silicon Valley im gleichen Zeitraum 57 Einhörner gegründet worden waren (und in New York nur 13), jetzt dicht auf den Fersen.

Mitte 2018 entfielen 62 der 230 weltweiten Einhorn-Unternehmen (27 Prozent) auf China, während die USA 113 beisteuerten. Außerdem werden chinesische Einhörner im Schnitt höher bewertet als ihre US-Pendants, da der Gesamtwert der chinesischen Einhörner 41 Prozent des Wertes aller Einhörner ausmacht, nur knapp hinter dem der USA (46 Prozent).

Zweifellos verlagert sich die Dynamik der globalen digitalen Innovation jetzt rasch nach Osten. Vor nicht allzu langer Zeit war Chinas Technologiebranche hauptsächlich für Billigkopien und kopierte Internetgeschäftsmodelle bekannt. Heute dagegen setzen sich chinesische Unternehmen an die Spitze der globalen technologischen Innovation. In einer verblüffenden Volte wurde aus der ehemaligen

»Kopierfabrik China«, in der chinesische Unternehmen vorhandene Technologien und Kompetenzen aus der ganzen Welt übernahmen und adaptierten, eine »Vorbildfabrik China«, wo westliche Firmen jetzt beginnen, sich in China nach den neuesten innovativen mobilen Merkmalen, Diensten und Produkten umzusehen. Beim Übergang von der Ära des mobilen Internets zum Zeitalter der KI verlagern chinesische Unternehmen ihren Fokus von »innovativen Modellen« auf »innovative Technologien«, vom »Aufbau von Online-Plattformen« auf die »Erforschung digitaler Technologien«, ein Trend, der durch die Verteilung von Einhörnern auf die Bereiche Internet und digitale Technologien veranschaulicht wird. Laut CNNIC-Daten von Ende 2017 sind Einhörner aus den Bereichen E-Commerce, Internetfinanzdienstleistungen und mobile Unterhaltung zwar noch immer in der Mehrheit, aber über 20 Prozent sind jetzt in den Feldern intelligente Autos, Künstliche Intelligenz und intelligente Hardware tätig.

Kurzum, der chinesische Markt ist nicht nur ein Verbrauchermarkt beispielloser Größe (der größte homogene digitale Markt der Welt, mit einheitlicher Sprache, Kultur und mobilen Bezahlsystemen), sondern auch ein aktives Ökosystem der Innovation mit einem riesigen Potenzial.

Zudem wollen viele der innovativsten Technologieunternehmen Chinas international expandieren und mit westlichen Technologiegiganten konkurrieren. Mit der neuen »digitale Seidenstraße«-Initiative der chinesischen Regierung wird sich die Macht der digitalen Ökonomie Chinas auf der ganzen Welt bemerkbar machen.

Die Seidenstraße im Cyberspace

Chinas Belt and Road Initiative (BRI) hatte zwei Hauptpfeiler, als Präsident Xi Jinping sie Ende 2013 bekanntgab: zum Ersten den Seidenstraßen-Wirtschaftsgürtel, eine transkontinentale Wirtschaftsinitiative, die sich über Zentralasien bis nach Europa erstreckt, und zum Zweiten die Maritime Seidenstraße für das 21. Jahrhundert, ein Schifffahrtsweg, der Südostasien mit Afrika und Europa verbindet.

Die BRI-Initiative zielt darauf ab, die Infrastruktur-, Handels- und Investitionsbeziehungen zwischen China und den an diesen Routen gelegenen Ländern zu stärken. Während die Skeptiker vor dem Risiko einer steigenden Schuldenlast für die beteiligten Entwicklungsländer, die potenziellen Klimafolgen des Projekts und den geopolitischen Ambitionen einer aufsteigenden Großmacht warnen (alles berechtigte Bedenken, die eine eigene Analyse verdienen), sehen Unterstützer darin die Zuführung von frischem Kapital genau zum richtigen Zeitpunkt und einen Katalysator der globalen Entwicklung, die lange Zeit von westlich dominierten Institutionen gebremst wurde. Die globale Anerkennung der BRI zeigte sich daran, dass China im Jahr 2017 erfolgreich den BRI-Gipfel ausrichtete, an dem fast 30 Staats- und Regierungschefs und Repräsentanten von fast 110 Ländern teilnahmen. Durch gemeinsame Investitionen in kritische Infrastruktur könnte die BRI zum umfassendsten und transformativsten wirtschaftlichsten Integrationsprojekt des 21. Jahrhunderts werden, mit weitreichenden Folgen für Volkswirtschaften weltweit. Diese Anstrengungen werden jetzt durch einen dritten Pfeiler der BRI beschleunigt –

die »neue digitale Seidenstraße«, für die Präsident Xi beim jüngsten BRI-Gipfel 2017 warb. Das Bedeutsame an der digitalen Dimension der BRI besteht darin, dass sie sich nicht nur auf IT-Infrastrukturen wie Internet und Telekommunikation bezieht, sondern auch umfasst, dass China die Erfahrungen mit der digitalen Transformation seines Wirtschaftsmodells mit den Schwellenländern teilt.

Die Hauptakteure der digitalen Seidenstraße sind chinesische Digitalunternehmen, die global expandieren, indem sie ausländische Niederlassungen gründen und Investitionsprogramme und Partnerschaften für den Eintritt in neue Märkte vereinbaren. Der natürliche Ausgangspunkt ist dabei der grenzüberschreitende E-Commerce. Viele von ihnen haben dabei von Anfang an eine globale Perspektive. Ende 2017 hatte China 102 Internetfirmen, die auf dem chinesischen Festland (Schanghai und Shenzhen), in den USA und Hongkong gelistet waren. Es ist bemerkenswert, dass mehr als die Hälfte von ihnen außerhalb des chinesischen Festlands gelistet sind, und der Prozentsatz der Firmen, die in den USA gelistet sind (40,2 Prozent), entspricht ungefähr dem Prozentsatz der Firmen, die an den Börsen von Schanghai und Shenzhen notiert sind (45,1 Prozent), Hongkong folgt mit 14,7 Prozent.

So haben zum Beispiel Alibaba und das thailändische Handelsministerium im Jahr 2018 auf Alibabas Tmall-Marktplatz den ersten offiziellen Flagshipstore für thailändischen Reis lanciert. Alibaba bietet außerdem Mitarbeiterschulungsprogramme in Malaysia an, in denen mittelständische Unternehmen beigebracht wird, wie sie ihre Produkte auf Alibaba-Plattformen verkaufen können. Wie bereits erwähnt, beteiligten sich über 140.000 Marken und Händler aus über 200 Ländern und Regionen an dem jährlichen »Singles' Day«-Shopping-Festival am 11. November.

Bei der digitalen BRI geht es um viel mehr als nur um das Absenken von Handelsschranken. Die chinesischen Internet- und Digitalunternehmen entwickeln ein facettenreiches, branchenübergreifendes digitales Ökosystem. Laut den Daten von iiMedia Research gab es auf dem chinesischen Markt Mitte 2018 über 30 mobile Apps, die jeweils mindestens 100 Millionen aktive Nutzer hatten. Jede der zehn meistgenutzten mobilen Apps hat sogar mehr als 300 Millionen aktive Nutzer.

Diese Riesenunternehmen beeinflussen mittlerweile fast jeden Aspekt des Lebens der Verbraucher, und sie sind in Produkte und Dienstleistungen diverser Branchen eingestiegen. Mit ihren gigantischen Kundenstämmen und ihren riesigen Mengen an Konsumentendaten können sie die Kommerzialisierung neuer Produkte und Dienstleistungen erheblich beschleunigen (solche großen Datenschätze sind auch für den KI-Wettbewerb von entscheidender Bedeutung).

Innovative Lösungen für Probleme, mit denen chinesische Verbraucher konfrontiert sind, werden auch auf anderen Märkten eingeführt. Die Internetfirmen sowie Hersteller intelligenter Hardware wie Huawei und ZTE sind im digitalen BRI-Kontext an zahlreichen Fronten aktiv:

Bereitstellung lokalisierter Lösungen: Baidu hat in Singapur ein Sprachverarbeitungslabor eröffnet, um seine Such-Apps für Sprecher südostasiatischer Sprachen zu verbessern, und es hat eine lokalisierte Version seiner Suchmaschine in Brasilien eingeführt.

Analyseergebnisse chinesischer Kundendaten anbieten: Als der Film *Kong: Skull Island* im März 2017 in die chinesischen Kinos kam, nutzte Tencent seine Daten, um 46 Millionen auf potenzielle Kinogänger zugeschnittene Werbeanzeigen zu verschicken. Dies führte zu einem Einspielergebnis von 169 Millionen Dollar in China, mehr als in Kanada und den USA zusammengenommen.

Entwicklung intelligenter Infrastruktur: Alibaba Cloud gründete im März 2018 ein Datenzentrum in Indonesien, das zuverlässige und kostengünstige Cloud-Produkte und -Dienstleistungen für indonesische Unternehmen anbot, insbesondere für Mittelständler und Start-ups.

Investitionen in den globalen Start-up-Markt: Technologieunternehmen und chinesische Wagniskapitalfonds halten weltweit Ausschau nach neuen Einhörnern. So suchen sie insbesondere im Silicon Valley nach innovativen Technologiefirmen.

Globale Fusionen und Übernahmen: Anfang 2018 erwarb ein Konsortium chinesischer Beteiligungsgesellschaften in einer Reihe von Transaktionen im Volumen von über 3 Milliarden Dollar eine Mehrheitsbeteiligung an dem in London ansässigen Rechenzentrenbetreiber Global Switch.

Gemeinsame Forschung: Im Februar 2018 haben die Nanyang Technological University (NTU) in Singapur und Alibaba ein gemeinsames Forschungsinstitut für KI-Technologien gegründet. Studenten, Mitarbeiter und Dozenten der NTU werden Gelegenheit haben, im Rahmen eines Austauschprogramms Alibabas Forschungseinrichtungen zu besuchen, während sie an bahnbrechenden KI-Projekten arbeiten.

Selbstverständlich stellt die Dominanz chinesischer Unternehmen eine Herausforderung dar. Ausländische Unternehmen, die Partnerschaften mit diesen Marktführern eingehen, müssen den Umfang der Zusammenarbeit eindeutig definieren. Sie müssen herausfinden, wie sie gute Arbeitsbeziehungen zu den großen digitalen Plattformen aufrechterhalten können, das heißt, wie sie einerseits mit ihnen zusammenarbeiten können, um deren Ressourcen zu nutzen, während sie gleichzeitig ihre eigenen Kerngeschäfte schützen.

Allerdings ist es sehr wichtig, in den Schwellenländern etwa des Mittleren Ostens oder Südostasiens (ASEAN-Staaten) Unternehmern einen viel größeren Cybermarkt zur Verfügung zu stellen – ein integriertes digitales Ökosystem, das robuster ist als die einzelstaatlichen und das es Innovatoren erlaubt, ihre kreativen Ideen zu testen und zu kommerzialisieren. Auf dem chinesischen Inlandsmarkt hat der Anschluss zuvor ignorierter Kleinunternehmer an den digitalen Marktplatz zu erfolgreichen Start-ups geführt. Kleine Firmen mit schlechter Verkehrsanbindung in Schwellenländern können vermutlich in ähnlicher Weise ihr Wachstum beschleunigen, indem sie etablierte Online-Plattformen nutzen.

Das KI-Wettrennen zwischen den USA und China

Im Juli 2017 hat der chinesische Staatsrat – die Zentralregierung – einen Aktionsplan veröffentlicht, der darauf abzielt, China bis 2030 zum führenden globalen Standort für die KI-Forschung und KI-Anwendungen zu machen. Regierungen auf der ganzen Welt legen Förderprogramme für KI auf, aber keine hat einen so konkreten Plan wie China veröffentlicht und – was noch wichtiger ist – setzt diesen Plan auch konsequent um.

China schließt rasch zu den lange Zeit führenden USA auf. So haben zum Beispiel bei der Tagung der Association for the Advancement of Artificial Intelligence, die jedes Jahr die Top-Experten der Welt zusammenführt, US-Forscher im Jahr 2012 41 Prozent der Vorträge gehalten, während Chinesen kaum 10 Prozent erreichten; im Jahr 2017 dagegen fiel der Anteil der USA an den Referaten auf 34 Prozent, während der Chinas auf 23 Prozent stieg. In zentralen KI-Anwendungsfeldern besteht weitgehend ein Duopol zwischen den USA und China, die zwei getrennte Einflusssphären bilden.

Der entscheidende Vorteil Chinas sind seine Datenressourcen, da die Bevölkerungsdichte proportional ist zur Dichte der Daten. Da mehr als die Hälfte der 1,4 Milliarden Chinesen das Internet nutzt und da während des Booms der mobilen Ökonomie viele Nutzer Apps auf ihren Geräten installierten, sind eine Fülle von Daten über chinesische Verbraucher vorhanden, die für einen weiteren Wachstumsschub sorgen werden. Diese mobile Infrastruktur und all die auf dieser Basis entwickelten Anwendungen erzeugen eine Menge von »KI-bereiten« Daten, die in den positiven KI-Kreislauf eingespeist werden (mehr Testdaten, mehr praktisch anwendbare KI-Produkte, durch deren Nutzung zusätzliche Daten generiert werden). Dieser Vorteil ist besonders wertvoll im Zeitalter der KI-Umsetzung (im Unterschied zur Entdeckung), da sich die meisten Ingenieure darauf konzentrieren, KI-Algorithmen auf Big Data ablaufen zu lassen und zu testen, um so deren Schnelligkeit zu erhöhen, bessere Vorhersagen mit geringerem Personaleinsatz und zu niedrigeren Kosten zu erreichen und so weiter.

Selbstverständlich hat China noch immer einen großen Aufholbedarf. Chinas Fähigkeiten bei betriebswirtschaftlicher KI (die sich auf Geschäftsabläufe und Entscheidungsfindung bezieht) werden sich wahrscheinlich langsamer entwickeln als in den USA, weil chinesische Unternehmen betriebswirtschaftliche Software nur zögerlich einführen. Außerdem stammen in China die meisten KI-Fachaufsätze von Wissenschaftlern an Universitäten und Forschungsinstituten, nicht von Unternehmen. Von den 20 globalen Konzernen, die die meisten KI-Aufsätze veröffentlicht haben, sind IBM und Microsoft mit Abstand die führenden, gefolgt von anderen Unternehmen aus Industrieländern (wie Siemens, Samsung, Google, Intel, Philips und General Electric). Nur ein chinesisches Unternehmen, State Grid Corporation of China, schaffte es knapp unter die Top 20, während kein chinesisches Internet- oder Tech-Unternehmen auf der Liste auftaucht, was darauf hindeutet, dass die digitalen Giganten China in der KI-Forschung noch immer schwach sind.

Allerdings hat China die KI und die neue digitale Ökonomie zielgerichteter und umfassender übernommen als viele westliche Staaten. Wenn zudem die Sorge besteht, diese neuen Technologien könnten die geopolitische Ordnung verändern, und ihr vollständiges Potenzial ungeklärt ist, dann mag es westlichen Staaten bedrohlich erscheinen, zu sehen, wie ein Neuling den technologischen Rückstand aufholt. Aber es ist falsch, diese Entwicklung nur in Kategorien des Wettstreits mit dem Westen oder eines Spiels, bei dem der

Sieger alles abräumt, zu betrachten. Die KI-Fortschritte, die China macht, gehen nicht notwendigerweise auf Kosten anderer Länder, und alle Länder könnten sich der gleichen Revolution genauso begeistert verschreiben.

Die Bedenken der USA sind am verständlichsten. In der jüngsten Vergangenheit haben die USA in zunehmendem Maße und auf aggressive Weise chinesische Technologieinvestitionen und Übernahmen blockiert. Eine jüngste Studie über beim CFIUS (Committee on Foreign Investment in the United States) eingereichte Anträge zeigte, dass etwa die Hälfte der Technologietransaktionen, die dem Ausschuss während der bisherigen Regierungszeit von Präsident Trump vorgelegt wurden, blockiert wurde. Wenngleich es legitim und verständlich ist, gegen Industriespionage oder Diebstahl geistigen Eigentums vorzugehen, ist »Blockieren« nicht die richtige Strategie, um Amerikas Überlegenheit bei Spitzentechnologien zu verteidigen.

Als Nation müssen die USA umdenken: statt bloß auf Chinas Aktionen zu reagieren, müssen sie eine nationale Strategie entwickeln, um ihre Schlüsselstärke in der technologischen Innovation auszubauen. Dazu müssen sie unter anderem die intellektuelle Leistungsfähigkeit von US-Universitäten besser nutzen, eine beispiellose Ressource in der Welt. Damit verbunden ist die Notwendigkeit, hohe Summen in Forschung und Wagniskapitalfinanzierung zu investieren.

So betrug Chinas Anteil an den globalen Wagniskapitalausgaben für KI in Höhe von 15,2 Milliarden Dollar 48 Prozent, gegenüber 38 Prozent für die USA. Statt über Chinas Fortschritte beunruhigt zu sein, wäre es für westliche Staaten zweckdienlicher, sich auf ihre bestehenden

Stärken zu konzentrieren und durch eigene Entwicklungsanstrengungen ihre führende Stellung in den Naturwissenschaften und der Innovation aufrechtzuerhalten. So wie die Giganten des Silicon Valley und chinesische Internetfirmen in der mobilen Ökonomie eine fragile Beziehung entwickelt haben, die auf vielen Feldern sowohl Konkurrenz als auch Zusammenarbeit umfasst, so wird es auch im Zeitalter der KI für sie Gelegenheiten zur wechselseitigen kreativen Anregung geben.

Innovativ, dynamisch, vernetzt und inklusiv

Es ist offensichtlich, dass die chinesische Regierung die digitale Transformation zu einem vorrangigen politischen Ziel gemacht hat: Projektinitiativen werden angestoßen, Investitionen werden erleichtert, und neue Märkte werden geschaffen. Dabei hat die digitale Globalisierung Chinas gerade erst begonnen, und Chinas Aufstieg bei KI und digitalen Technologien wird globale wirtschaftliche, soziale und geopolitische Folgen haben, die jahrzehntelang zu spüren sein werden. Chinas wachsende Bedeutung auf der digitalen Bühne der Welt bedeutet auch, dass sich das Land an breiter angelegten Debatten über Fragen globaler Ordnungsgestaltung wie digitale Souveränität, grenzüberschreitende Datenflüsse und Wechselseitigkeit beteiligen beziehungsweise diese initiieren kann. Da China die digitale Seidenstraße als das geeignete Instrument betrachtet, »eine Schicksalsgemeinschaft im Cyberspace« zu schaffen, ist es im Interesse aller Unternehmen, Staaten und anderer globaler Anspruchsgruppen, mit China und seinem digitalwirtschaftlichen Ökosystem auf vier Schlüsselgebieten in einen Dialog zu treten:

Einen rechtlichen Ordnungsrahmen für digitale Ökonomie erstellen

Die geltenden Gesetze werden den Anforderungen der digitalen Revolution nicht gerecht, und alle Staaten haben lediglich in Ansätzen sachgerechte Datenschutz- und Internetverwaltungsregeln. Die EU-Datenschutz-Grundverordnung stellt ein Regelwerk für den europäischen Markt bereit, während andere Länder noch dabei sind, ihre eigenen Standards in Bezug auf Demokratie, Privatsphäre und Verwaltungstransparenz zu erstellen.

Die Arbeitsmärkte während der digitalen Disruption ausgewogen steuern

Der Projektion des Weltwirtschaftsforums zufolge wird Künstliche Intelligenz bis 2020 weltweit über fünf Millionen Arbeitsplätze vernichten. Um ein inklusiveres globales Wachstum zu erreichen, müssen Staaten einen Ausgleich zwischen sozialer Gerechtigkeit und Effizienz, Kapital und Arbeit, Technologie und Beschäftigung erreichen.

Probleme der Cybersicherheit angehen

Cybersicherheit ist ein komplexes transnationales Problem für alle Staaten, und ein sicheres Internet erfordert globale Kooperation. Es existieren umfangreiche gemeinsame Interessen bei der Stärkung der Cyberabwehrfähigkeiten insbesondere gegen Hacker-Angriffe.

Eine offene Weltwirtschaft aufbauen

Auch wenn es Spannungen zwischen den USA, China und anderen Nationen gibt, ist die Weltwirtschaft vernetzt, und das lässt sich nicht wieder rückgängig machen. Da sich die Weltwirtschaft im Übergang zu einer digitalen Ökonomie befindet, sollte ein globaler Dialog über Offenheit und wechselseitigen Nutzen in einem neuen Rahmen geführt werden, etwa der Initiative der digitalen Seidenstraße, weil der freie Fluss von Gütern, Kapital, Wissen und Daten den Kern der digitalen Ökonomie ausmacht.

In Zukunft dürften weitere Schwellenländer genauso wie China das Zeitalter des PC auslassen und direkt in die digitale Ökonomie »springen«, die »zuerst mobil« und »nur mobil« ist. Sie werden sich bei der digitalen Transformation ihrer Wirtschaft eher an dem Fallbeispiel China (und nicht am Silicon Valley oder am Silicon Beach) orientieren. Heute sind die US-Internetgiganten Amazon, Facebook, Apple und Google die globalen technologischen Innovationsführer. Aber die nächste Generation von Start-ups wird sich vielleicht auch von Unternehmen wie Alibaba und Tencent inspirieren lassen.

Unterdessen vermittelt die schnelle Transformation Chinas in den letzten vierzig Jahren Schwellenländern vielleicht das Gefühl dringenden Handlungsbedarfs. KI- und Digitaltechnologie-Unternehmen werden in der globalen Wertschöpfungskette einen unverhältnismäßig hohen Anteil an der Wertschöpfung abgreifen, und viele Arbeitsplätze wer-den durch KI ersetzt werden. Daher ist die »alte« chinesische Wachstumsgeschichte, wonach ein armes Land durch niedrige Arbeitskosten und billige Rohstoffe seine Exporteinnahmen durch kostengünstige Industrieprodukte massiv ausweiten kann, endgültig vorbei. Dies bedeutet, dass die Schwellenländer drei Sprünge in einem machen und direkt in die KI-Digitalökonomie einsteigen müssen.

Dies mag viele der kleineren Länder, insbesondere diejenigen, denen es an technologischen Ressourcen mangelt und wo viele Arbeitsplätze durch KI wegfallen könnten, vor erhebliche Herausforderungen stellen. Aber es mag für sie auch eine Gelegenheit zum technologischen Quantensprung sein, wenn diese Länder sich die neue Technologierevolution genauso begeistert zu eigen machen. Die digitale Seidenstraße unterstützt sie dabei. Präsident Xi umriss auf den G-20-Gipfeln 2016 in Hangzhou und 2017 in Hamburg das Ziel dieser Initiative: Die digitale Revolution der Wirtschaft soll eine innovative, dynamische, vernetzte und inklusive Weltwirtschaft hervorbringen.

Ökonomien der Zukunft

Dieses Buch ist Teil eines multidisziplinären Diskurses zu den zentralen Fragen unserer Zeit.

Dabei konzentrieren sich unsere Publikationen auf jeweils ein Thema, das aus einer Box mit sieben Büchern besteht.

In sechs zugänglichen Essays geben unsere Autorinnen und Autoren Einblicke in ihre unterschiedlichen Perspektiven. In einem exklusiv der Themenbox hinzugefügten siebten Buch werden Kontroversen und Schnittstellen weitergedacht.

Stefan Klein	Die Ökonomie des Glücks
Mara Catherine Harvey	Women and Risk
Milosz Matuschek **Philipp Mattheis**	Kryptopia
Tobias Werron	Der globale Nationalismus
Winston Ma	Die digitale Seidenstraße: Chinas neue Wachstumsstory
Justus Haucap	Macht, Markt und Wettbewerb: Was steuert die Datenökonomie?
+ Perspektivwechsel	Die Essays zusammen betrachtet

Lektorat: Thorsten Schmidt und Sebastian Guggolz
Gestaltung und Satz: Huelsenberg Studio, Berlin
Gesetzt aus der Suisse Works und Suisse Int'l
Druck und Bindung: GGP Media GmbH, Pößneck

nicolai-publishing.com
discuss@nicolai-publishing.com

Twitter / Instagram: @nicolaidiscuss

Dieses Buch ist auch als E-Book erhältlich.

Printed in Germany
ISBN 978-3-96476-021-0

Never, never rest contented with any circle of perspectives, but always be certain that a wider one is still possible.

Richard Jefferies